BARRIO LEGO®

¡CONSTRUYE TU PROPIA CIUDAD! BRIAN LYLES Y JASON LYLES

Título de la obra original: *The LEGO neighborhood Book*

Traductora: Olivia Estévez Gorgoy.

Authorized translation from the English language edition of The LEGO Neighborhood Book,
ISBN 978-1-59327-571-6, published by No Starch Press.
© 2014 by Brian Lyles and Jason Lyles

Edición española:
© EDICIONES OBERON (G. A.), 2015
Juan Ignacio Luca de Tena, 15. 28027 Madrid
Depósito legal: M-19196-2015
ISBN: 978-84-415-3732-3
Printed in Spain

Índice

Prólogo

Este libro está dedicado a Jack Ben, Joshua, Virginia, Ellie, y Daisy.

Nos encantaba jugar con LEGO cuando éramos niños. Y, como muchos niños, soñábamos con convertirnos en diseñadores LEGO cuando creciéramos. Pero también, como muchos otros niños, guardamos nuestros bloques LEGO en el ático en el momento de entrar en la adolescencia.

Volvimos a reencontrarnos con LEGO ya de adultos. Nos maravillamos con las cosas que las personas pueden crear, esos asombrosos modelos que aparecen en internet.

Lo que realmente nos sorprendió, sin embargo, fueron esos extraordinarios edificios a escala pequeña que LEGO sacó a la luz. Había toda una asombrosa comunidad de constructores que intentaba emular el estilo de «construcción modular»

y, a su vez, mejorarla. Primero, nos enamoramos de la Brigada de Bomberos (set#10197). El resto, como dicen, es historia.

Hemos construido docenas de prototipos desde que compramos nuestra Brigada de Bomberos. Hay algo irresistible en utilizar pequeños bloques para crear modelos que imitan detalles arquitectónicos y crear un mundo en miniatura. Puedes encontrar instrucciones para construir muchos de estos modelos en nuestra página web, *http://www.brickcitydepost.com/*.

Este libro ha sido escrito para compartir nuestra pasión. Con la esperanza de que en estas páginas puedas encontrar abundantes estímulos para hacer realidad tus propias ideas.

HOLA, SOY JASON. TRABAJO COMO INGENIERO DE SOFTWARE.

MI NOMBRE ES BRIAN Y SOY CAMARÓGRAFO. SEREMOS TUS GUÍAS. ¡VAMOS ALLÁ!

Primeros pasos para el Café de la esquina estándar

1

Antes de que puedas crear tus propios y hermosos edificios, debes aprender las reglas básicas. Si alguna vez has construido los conjuntos modulares oficiales del Grupo LEGO, sabes entonces los pasos fundamentales para conectar las construcciones LEGO y formar calles, vecindarios, y ciudades. Si eres nuevo en la construcción modular, sin duda querrás prestar especial atención. Necesitarás esta información para asegurarte de que las edificaciones que estás creando se asemejan a la colección oficial de LEGO.

En Octubre del 2007, el Grupo LEGO publicó su primera construcción modular: el Café de la Esquina (set#10182). Esta primera obra marcó el estándar (a veces llamada Café de la Esquina estándar) de cómo todas las construcciones modulares posteriores se conectarían unas con otras, y la apariencia que tendría la acera. Este tipo de edificación fue desarrollado por Jamie Berard, un diseñador de LEGO, acogido luego por la comunidad de fans.

Los edificios se conectan para formar un bloque o una fila de edificios.

El tamaño de la base

Todas las colecciones de construcciones modulares hasta el momento, utilizan una plancha de 32x32 pivotes o dos planchas de 16x32. De forma que para cumplir con la norma necesitarás construir en aumentos de 16 pivotes de ancho: 16x32, 32x32, 48x32, y así consecutivamente. Por supuesto, puedes crear edificaciones más grandes al combinar planchas base.

LAS TIENDAS PEQUEÑAS Y LAS CASAS ESTRECHAS FUNCIONAN MEJOR CON PLANCHAS BASE DE 16X32, PERO LA PROFUNDIDAD DE CADA UNA NECESITA 32 PIVOTES, INCLUSO EN UNA ANCHURA MÁS REDUCIDA.

Una placa de 16x32 y una plancha cuadrada de 32x32.

Ensamblar los edificios

Los edificios se conectan los unos a los otros en la base a través de un pin técnico LEGO. Usarás cuatro ladrillos técnicos (part #3700) y dos pins técnicos (part #2780) para cada conexión.

Por supuesto, tienes que espaciar estos ladrillos técnicos consistentemente para unir otros edificios.

Para hacer un edificio en la esquina, la colocación de los ladrillos técnicos es la misma: el patrón de 9 pivotes, 10 pivotes, 9 pivotes que mostramos a la derecha.

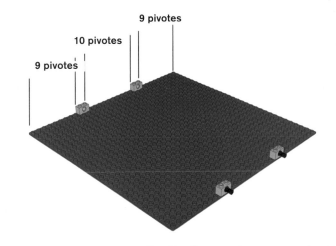

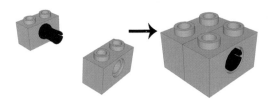

Los planos técnicos mantienen unidas tu ciudad. También te permiten construir casas por separado y juntarlas cuando hayas terminado.

Aunque no tengas un edificio aún, es buena idea que coloques estas partes técnicas primero para planificar luego tu construcción.

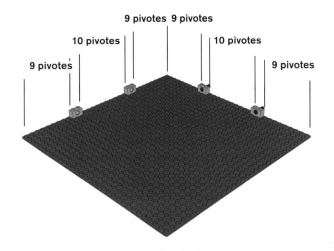

Los edificios de las esquinas utilizan las mismas conexiones, con el mismo espaciado, solo que en otro lado de la plancha.

La acera

La acera también tiene una profundidad estándar, pero proporciona más opciones para ser adaptada. Las aceras pueden tener escalinatas, escaleras, jardineras, u otros detalles que sobresalgan de los edificios.

En la imagen de abajo se puede ver que la primera fila de pivotes está cubierta por azulejos de color gris claro.

La segunda fila de pivotes de la acera, está compuesta por azulejos de un oscuro gris azulado de 1x2. Esta segunda fila de pivotes tiene dos pivotes de rejilla de 1x2 que representan las alcantarillas colocadas a 6 pivotes del borde exterior de la plancha.

Las cuatro filas siguientes de pivotes se componen de azulejos gris oscuro de 2x2 de derecha a izquierda. La séptima fila de la acera también consiste en azulejos de color gris claro de 1x2.

La octava y última fila consta de azulejos gris claro.

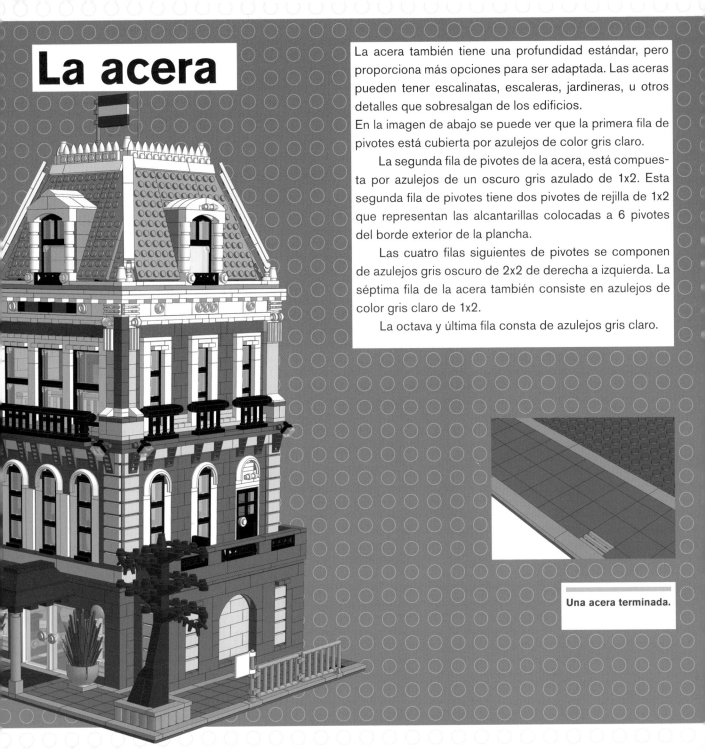

Una acera terminada.

Un edificio en la esquina tendrá una acera en ambos bordes de su pancha base, a veces con un diseño o un adorno de color en la esquina de la acera.

Todos los edificios modulares LEGO incluyen una farola blanca en el lado derecho de la acera. La ubicación exacta es siempre diferente. Seguramente querrás decidir el mejor lugar para colocar tu farola en tus modelos. Por ejemplo, si tu edificio tiene una puerta en el lado derecho, puede mover la farola hacia el borde derecho. Muchos modelos LEGO la colocan al lado de otro objeto, como una boca de incendios o un buzón, de manera que el resto de la acera quede libre para los peatones.

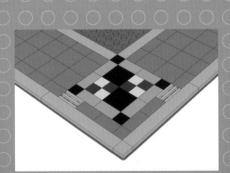

Este adorno le da un toque de color a la acera.

La farola suele estar en el lado derecho.

LA ACERA FORMA PARTE DE LA BASE DEL EDIFICIO, ASÍ QUE TÓMATE TU TIEMPO PARA PERSONALIZARLA Y COMBINARLA CON EL EDIFICIO.

Creación de la profundidad y la altura

Con la acera terminada y los ladrillos técnicos colocados en su lugar, puedes comenzar con el edificio mismo. Aunque hay un mínimo práctico de 15 pivotes para la profundidad de tu edificio (la distancia entre los ladrillos técnicos, más un fila sola de pivotes delante), realmente no hay más reglas. La profundidad de la edificación puede variar de 15 a 24 pivotes; algunos constructores eligen hacerlo poco profundo, desde la parte delantera a la parte trasera, para así ahorrar piezas o para crear un patio para sus habitantes. Si estás construyendo un edificio con la zona interior amplia, puedes hacer una fila de pivotes en la plancha hasta la parte trasera y crear así más espacio dentro.

La altura de cada edificio y de cada planta es una decisión estética y práctica. Muchos constructores añaden al menos uno o dos ladrillos encima del marco de la puerta antes de que comience el siguiente nivel. Algunos edificios tienen techos abovedados en el primer piso o un gran recibidor, por tanto será necesario que el primer piso sea mucho más alto para poder acondicionar todas las necesidades del interior. La altura del edificio depende de ti. Recuerda que las aceras de los edificios más grandes se notan cuando las colocas al lado de un edificio más pequeño. Si tienes un edificio realmente alto, considera añadir ventanas (o algo que llame la atención visualmente) a los lados para romper con las paredes planas y aburridas.

Crear niveles apilables

¿Por qué les llamas edificios modulares? No sólo se trata de poder conectar edificios. Cada uno tiene niveles apilables que puedes quitar para ver el interior; estos se componen de módulos que puedes construir de forma separada del resto. Alrededor de la parte superior de las paredes hay una capa de tejas de manera que el siguiente nivel puede reposar sobre el nivel de debajo sin utilizar ningún pivote.

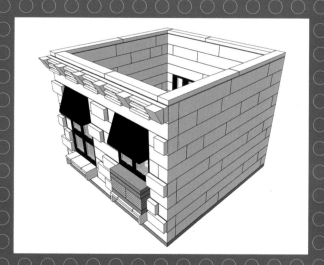

Las tejas están alrededor de la parte superior de las paredes de forma que el nivel de arriba no se conectará con el de debajo.

Existen muchas formas de asegurar los niveles en un lugar. Un método, por ejemplo, es colocar planchas alrededor de los bordes en la parte inferior del nivel, como se muestra en la imagen de la derecha. Esto hace que el nivel de arriba quede sujeto y no se mueva.

Otro método puede ser la utilización de unos cuantos pivotes en el nivel inferior para asegurar el nivel superior. El truco está en utilizar sólo los pivotes necesarios para impedir que el nivel se mueva, pero no tantos como para que quede sujeto en un mismo lugar. A veces, cuando utilizas esta forma, las planchas pueden despegarse y quedarse pegadas al nivel superior.

EXPERIMENTA CON LAS DIFERENTES FORMAS DE JUNTAR LOS NIVELES.

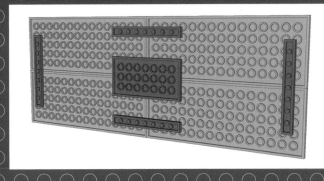

Estas planchas, colocadas de forma correcta en los márgenes de esta estructura, forman un borde.

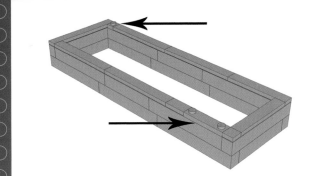

Un número mínimo de pivotes te permite una conexión modular.

Crea tus propios modelos

EL OBJETIVO DE LOS EDIFICIOS MODULARES ES QUE TE SIRVAN DE INSPIRACIÓN, NO UN PATRÓN EXACTO —AL MENOS ES COMO NOSOTROS LO ABORDAMOS.

Ahora que ya conoces las pautas, ¡debes sentirte libre de ignorarlas por completo!

¿Y por qué perder el tiempo explicándote las normas para luego decirte que las ignores? Muy simple: primero debes conocer bien las reglas para luego poder romperlas, ¿no te parece? Echa un vistazo a la ciudad donde vives, especialmente si hay un casco antiguo. No hay patrones en la vida real; muchas de las ciudades en las que vivimos son maravillosamente caóticas. Los edificios tienes diferentes formas, tamaños, anchos, y estilos arquitectónicos. A veces los edificios tienen callejones entre ellos o grandes calles en frente; algunos están por encima de la carretera, mientras que otros están por encima de esta; algunos pueden ser muy delgados, otros en cambio pueden ser muy anchos; los hay de dos plantas, de cuatro, o más.

¡Experimenta!

Comprar ladrillos

Si aún no conoces el BrickLink, pon a un lado este libro y ve a hora mismo a *http://bricklink. com/.* BrickLink es un mercado de accesorios dónde miles de vendedores del mundo entero venden millones de piezas individuales de LEGO de todas las formas y combinación de colores posibles.

El proceso de diseñar

SAL Y HAZ ALGUNAS FOTOS DE LOS EDIFICIOS QUE TE GUSTARÍA CONSTRUIR.

El primer paso para cualquier construcción es decidir qué tipo de edificación hacer. Antes de empezar, debes tener una idea clara de lo que quieres crear: una comisaría, una casa, un restaurante… Una vez que lo hayas decidido, tienes dos opciones: puedes construir algo completamente de memoria, o puedes encontrar inspiración real. Igual que los artistas que dibujan o pintan, es probable que encuentres material de referencia muy valioso.

Si estás completamente perdido sobre qué construir, una excelente manera de empezar es visitar áreas que tengan edificios que te gusten. Presta atención a los detalles arquitectónicos y al diseño. Haz fotos de los edificios enteros o de las partes que quieras añadir a tu propio diseño.

Si lo que quieres es construir algo inspirado en otro país, simplemente busca en internet; en las imágenes de la Web, en Google Street View, viaja a través de la ciudad con Google Earth, o intenta una vista aérea en 3D con Bing Maps. Hoy en día puedes pasear por cualquier calle del mundo sin necesidad de salir de tu casa. También puedes buscar determinados edificios (como una estación de bomberos, un museo, o un ayuntamiento), o incluso un estilo arquitectónico determinado.

La elección de colores

Las casas y los negocios vienen en diferentes formas y colores. Tus casas pueden lucir geniales y le pueden dar más vida a tu ciudad si les añades colores llamativos, aunque también puede que quieras darles un color mucho más realista y usar un rojo oscuro para las casas de ladrillo, así como también el blanco, el dorado, y otros colores oscuros. El azul oscuro, el verde oscuro, el naranja oscuro, el dorado oscuro les dan algo de color a la casa sin que parezca excesivo. Los colores de «arena» tenue como el azul o el verde también lucen bien. A la derecha hay algunos ejemplos de edificios modulares en estos colores.

Puede que los colores primarios como el rojo y el azul no sean tu primera elección pero cuando se utilizan de forma correcta como en las casas de Notting Hill que aparecen en la siguiente página, pueden funcionar muy bien.

Un factor importante a la hora de determinar el color de la casa o del edificio son las partes que tienes disponibles. Es una buena idea comprobar la guía de colores en el catálogo de BrickLink *(http://www.bricklink.com/catalog.asp)* para ver qué piezas se hacen en el color que deseas emplear. Algunas planchas y ladrillos de un tamaño determinado no se hacen en todos los colores, de forma que esto puede limitarte a la hora de construir ciertas partes del modelo.

En el sentido del reloj: azul oscuro y dorado, naranja oscuro, dorado ocuro, azul arena, y rojo oscuro.

Acentuar los colores

Los edificios LEGO de mejor apariencia tienen una cosa en común: utilizan los colores a conciencia. El uso de un color principal y de colores acentuados pueden ayudar realmente a que tu modelo luzca cohesivo y realista.

Cuando creas tu propia combinación de colores, puedes utilizar la rueda de colores para ayudarte a determinar qué colores quedan mejor cuando los unes. Los opuestos (es decir, en dirección opuesta en la rueda de color) llaman la atención. Internet también está lleno de herramientas para propietarios reales que planifican pintar las fachadas de sus casas. A menudo, los diferentes estilos arquitectónicos tienen esquemas de color comunes. Aprovéchate de cualquier recurso que tengas disponible mientras estés planificando.

Vamos a ver cómo puedes utilizar colores llamativos para darle vida a tu modelo.

Esta construcción está inspirada en dos casas del barrio de Notting Hill, Londres.

DESCUBRÍ ESTAS CASAS A TRAVÉS DE IMÁGENES GOOGLE Y UTILICÉ FLICKR Y GOOGLE MAPS PARA VER MÁS ANGULOS.

En esta casa de piedra marrón, los colores principales son el dorado y el marrón. El color llamativo es el negro, que se puede apreciar en la farola, el toldo, las ventanas y las verjas.

Este adosado utiliza el dorado oscuro para la puerta del garaje y el área del tejado para romper con el verde oscuro y el blanco.

ESTA CASA DE ARENISCA ESTÁ INSPIRADA EN UNA CASA DE NUEVA YORK.

LA CASA ADOSADA VICTORIANA ES UN DISEÑO COMPUESTO, BASADO EN DIFERENTES CASAS DE SAN FRANCISCO.

¿LO QUE SE VE ARRIBA ES UN SÍMBOLO DE MURCIÉLAGO?

En esta comisaría se utilizó el negro para las barandillas, las venta-nas y los dispositivos de luz, mientras que el gris claro azulado se usó en conjunción con el gris oscuro azulado para simular la piedra.

El color del alero

Un lugar natural en el que usar un color llamativo es el alero del edificio. Aunque el uso real del alero sofisticado y la moldura ha disminuido a lo largo de los años, aún puede añadirle a tu edificio algo de chispa. Elije un color que contraste, igual que cualquier otro color llamativo. El blanco o el color madera son comunes.

Los diferentes estilos arquitectónicos tienen aleros de tamaños y colores muy diferentes.

Simetría

La simetría es importante cuando se trata de arquitectura. En la página opuesta hay algunos ejemplos que muestran la simetría en el diseño de un edificio.

Mantener la longitud de los ladrillos uniforme en la parte delantera del edificio puede mostrar un compromiso con la simetría y mejorar el aspecto del modelo.

Puedes aplicar la misma regla de simetría en las planchas y las tejas. Tomarte el tiempo necesario para hacer una fachada perfecta y simétrica te asegurará lograr un modelo completo y profesional.

Los diferentes tipos de edificios tendrán diferentes tipos de simetría.

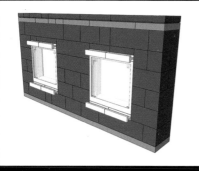

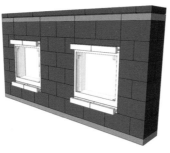

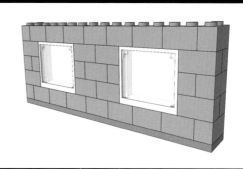

A la izquierda, puedes ver un modelo que utiliza piezas diferentes en el lado derecho e izquierdo. El ejemplo de la derecha muestra una fachada simétrica más estética.

Los ladrillos uniformes imitan la apariencia común de la albañilería real.

¡A construir!

Empieza a construir. Por el camino, cometerás errores. Harás diseños horribles y que no tengan nada que ver con lo que imaginaste o con lo que estás intentando copiar. No te desanimes. Por cada edificio que creamos y que nos guste lo suficiente para que sirva de ejemplo, hay otro edificio que hicimos que salió mal. No olvides distanciarte del problema. Actualmente tenemos 10 edificaciones que hemos dejado a un lado porque aún hay algún aspecto que no sabemos cómo solucionar.

A veces, cuando nos atascamos en la parte de un edificio, lo mejor es hacer esta parte fácilmente desmontable. De esta manera, podemos construir múltiples versiones de una sección del edificio y ponerlas y quitarlas para ver qué versión queda mejor.

Para ahorrar tiempo, es probable que el truco más importante que podemos ofrecer en el proceso de diseño consista en mejorar la fachada hasta que estés contento con el resultado final. La fachada es la parte que da a la calle, lo que se ve primero. Si tu edificio está atrapado entre otros edificios, la fachada será la única parte que se vea. Hemos pasado mucho tiempo construyendo interiores, laterales y paredes traseras de edificios para después abandonarlos porque no hemos podido conseguir la fachada deseada.

AHORA YA TIENES UNA IDEA. PERO ¿NO ESTÁS SEGURO DE CÓMO CONVERTIRLO EN FORMA LEGO? EL CAPÍTULO SIGUIENTE TRATA SOBRE CÓMO RECONOCER LAS PIEZAS EN EL MUNDO QUE NOS RODEA.

Ladrillos por doquier

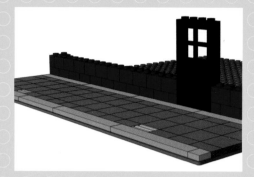

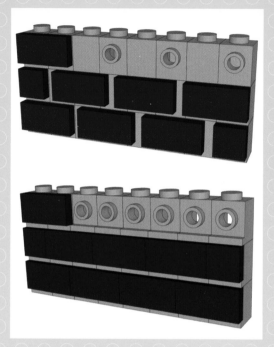

Mientras construyes intenta imaginar el edificio real como un modelo gigante LEGO. Aunque puede parecer descabellado, esto te ayudará a identificar qué detalles arquitectónicos son como piezas individuales LEGO. En algunos proyectos, encontrarás justo la pieza que necesitas utilizar, lo que también te ayudará a determinar la escala del modelo.

Si el edificio está hecho de bloques, piedras, o ladrillos de cemento, debes considerar el empleo de ladrillos de 1x2 o solo planchas para darle una apariencia que se asemeje a la albañilería real. Arriba, hay un ejemplo del uso de ladrillos de 1x2 para simular una pared de ladrillos.

Hay otras formas de crear una pared de ladrillos simple. Échale un vistazo a los ejemplos de la derecha.

INTENTA AMPLIAR ESTAS IDEAS Y CREA TUS PROPIAS PAREDES.

En esta foto de la derecha puedes ver una ventana con una marca interesante. ¿Cuántas piezas puedes ver a primera vista? A primera vista puedes imaginar las cornisas y las rejas. Por supuesto, después de elegir las piezas necesarias para crear el objeto, necesitarás determinar cómo reunir esas piezas al edificio.

En el lateral de este edificio, hay filas de ladrillos que tienen ranuras verticales. Inmediatamente pensamos en el ladrillo que tenemos a la derecha.

ROMPER CON LA PARED PLANA Y UTILIZAR PIEZAS CON TEXTURA Y OTROS DETALLES PUEDE DARLE OTRO CARÁCTER Y UNA IMAGEN VISUAL MÁS INTERESANTE A TU MODELO.

La cornisa y el cono de la derecha simulan la moldura de esta casa amarilla.

Puede que algunos adornos no se vean a simple vista. Mira la pared de la derecha. Algo parecido se puede construir como se muestra, con dos o tres piezas inclinadas.

El toldo verde de debajo tiene una forma curva. En la foto de la derecha puedes observar los ladrillos curvos que pueden simular esta forma.

UNA PEGATINA EN LA PARTE DELANTERA DEL TOLDO TE AYUDARÁ A COMPLETAR EL DISEÑO.

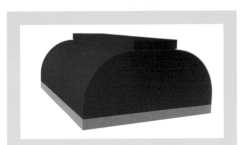

Hay algunas partes de este edificio que de inmediato llaman la atención. Por ejemplo, el arco blanco encima de la puerta o la puerta misma. Las rejillas negras se pueden utilizar en una puerta de ladrillos y este arco blanco encaja perfectamente.

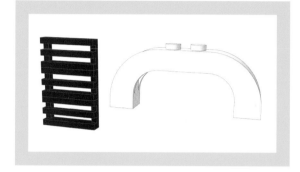

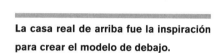

La casa real de arriba fue la inspiración para crear el modelo de debajo.

Este molde tiene la for-ma de una flor. Esta flor grande es una coincidencia perfecta.

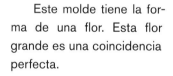

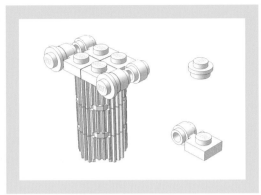

La parte superior de esta columna icónica clásica tiene esquinas decorativas que puedes emular en dos partes.

Entre estas ventanas hay un elemento decorativo que parece una fila de platos redondos.

TAMBIÉN PUEDES UTILIZAR ESTE LADRILLO TÉCNICO PARA SUJERTAR LOS PLATOS REDONDOS DE 1X1, ESTO CAMBIARÁ SU APARIENCIA POR SUPUESTO.

El arco sobre las ventanas curvas que te mostramos aquí es una construcción sencilla: utiliza arcos de 1x4 encima de la ventana con la parte superior arqueada. Las guías blancas en la parte inferior representan la cornisa de la ventana.

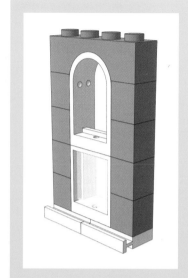

Piensa creativamente y revisa cada una de tus piezas desde todos los ángulos. La parte cuadrada entre la parte superior y las columnas inferiores de este edificio simulan un ladrillo de 1x1 o un plato al revés.

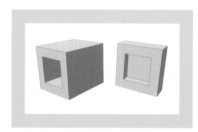

UN TACO ENCAJA PERFECTAMENTE EN EL AGUJERO DEL LADRILLO TÉCNICO. PUEDES UTILIZAR ESTE LADRILLO PARA JUNTAR EL LADRILLO O EL PLATO A LA FACHADA.

Puedes simular el hierro forjado negro que aparece a la izquierda utilizando esta valla enrejada de 1x4.

Este detalle encima de la puerta parece complicado al inicio, pero con las piezas correctas puedes aproximarte al original.

Los soportes para este balcón pare-ce casi igual que una pieza de 1x2 incli-nada en un ángulo de 45.

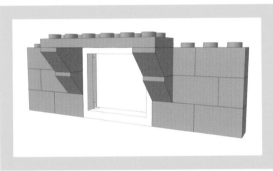

¡TANTAS PIEZAS PARA ELEGIR!

Los soportes debajo del saliente de esta ventana también muestran piezas inclinadas, pero quizás la técnica de no colocar tacos en la parte superior (SNOT) luzca mejor aquí.

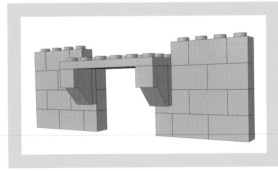

PUEDES HACER BARANDILLAS MÁS GRANDES UTILIZANDO BISAGRAS.

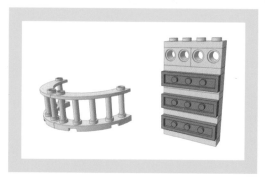

La barandilla en este ejemplo es evidente, pero en el lado derecho del edificio puedes ver molduras que parecen placas LEGO mirando hacia afuera.

Este tipo de ladrillo esquinado es similar a los azulejos adjuntos al costado del edificio. Puedes conseguir esta apariencia también al utilizar solo ladrillos.

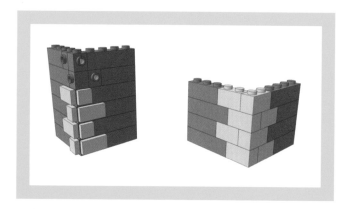

Los Detalles

Los detalles son esenciales para hacer de tus edificios una pieza única. Las forma de las ventanas, las molduras, lo colores, las luces y todas las decoraciones es lo que hace diferente cada modelo. En este capítulo exploraremos los detalles exteriores de los edificios.

VAMOS A REVISAR CON MAYOR DETENIMIENTO LOS COMPONENTES QUE TE PERMITAN CREAR LA PARTE EXTERIOR DE UN EDIFICIO.

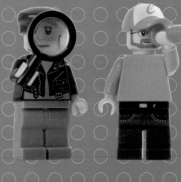

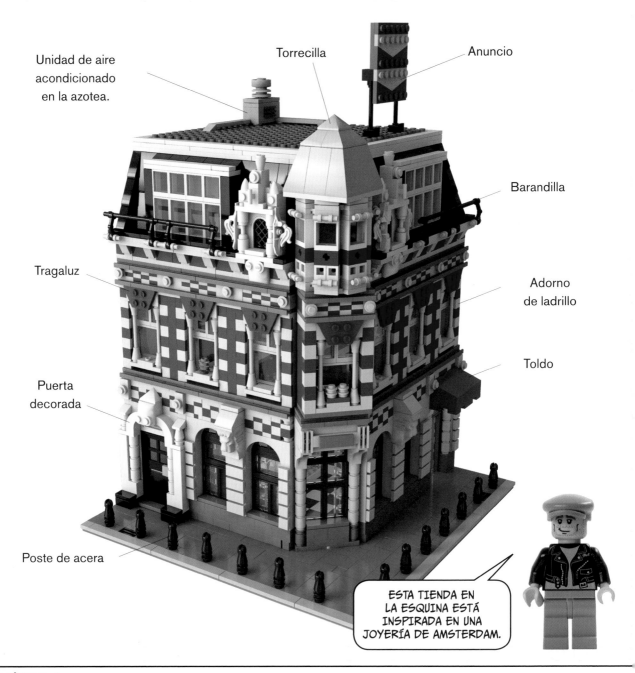

Unidad de aire acondicionado en la azotea.

Torrecilla

Anuncio

Barandilla

Tragaluz

Adorno de ladrillo

Toldo

Puerta decorada

Poste de acera

ESTA TIENDA EN LA ESQUINA ESTÁ INSPIRADA EN UNA JOYERÍA DE AMSTERDAM.

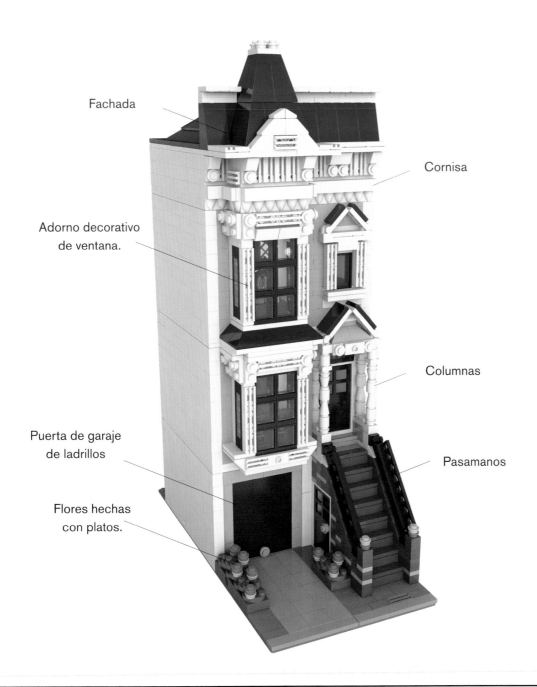

Fachada

Cornisa

Adorno decorativo
de ventana.

Columnas

Puerta de garaje
de ladrillos

Pasamanos

Flores hechas
con platos.

Molduras de techos y cornisas

Aquí tienes algunos ejemplos de adornos de molduras en las líneas del tejado. ¿Qué piezas se pueden utilizar para replicar estos modelos?

Con tantas partes diferentes LEGO, seguro que hay muchas combinaciones que puedes utilizar para lograr lo que quieras. Observa estos ejemplos que utilizan varios métodos para conseguir un efecto similar.

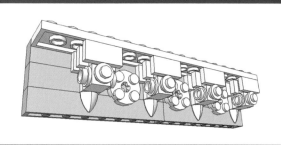

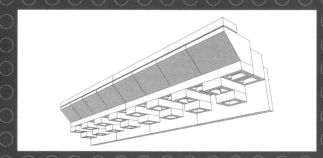

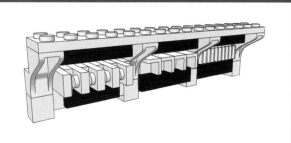

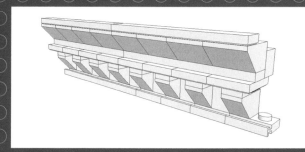

Lámparas

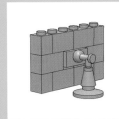

Una forma que tienes de romper con la pared plana es añadir una lámpara. Puedes añadir una o dos a los lados de una puerta o colocarlas de forma espaciada para iluminar toda la acera. Fíjate en estos ejemplos para obtener una idea de los diferentes diseños.

Columnas y barandillas

Mira detalladamente estas fotos e imagina qué piezas LEGO emplearías.

Puedes hacer columnas de muchas formas, desde simples a más complejas (a veces utilizando las técnicas SNOT).

Las barandillas y las vallas pueden ser sencillas de hacer; también puedes utilizar piezas más decoradas para hacer una balaustrada.

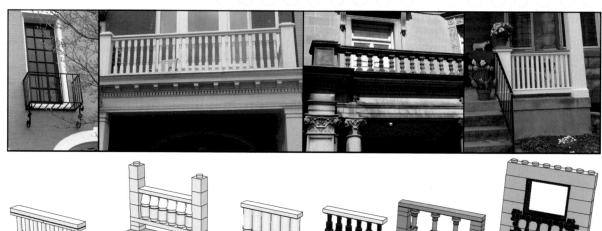

Ventanas y persianas

Las ventanas son tan importantes para la apariencia de un edificios que los arquitectos a veces las llamas «lo ojos» de la estructura. Fíjate en estos ejemplos para crear diversos modelos diferentes al utilizar varias piezas en las ventanas y a su alrededor.

Por mucho tiempo, LEGO hizo ventanas que tenían persianas con pestañas que servían para sujetar otras persianas. Los modelos más recientes de ventanas no tienen estas pestañas: aún así puedes hacer persianas empleando otros elementos.

MIENTRAS MÁS VENTANAS HAGAS, MÁS FÁCIL SERÁ VER TODOS LOS DETALLES DEL INTERIOR.

Planta vida

Dale más vida a tu edificio y añade plantas y árboles. Echa un vistazo a estos modelos de árboles, arbustos, hiedra, e incluso un invernadero.

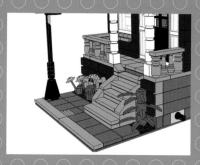

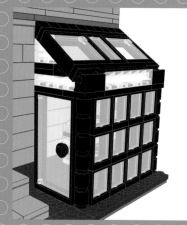

PUEDES APILAR PIEZAS COMO ESTAS PARA HACER ARBUSTOS.

LA VEGETACIÓN AYUDA A DARLE VIDA A TU EDIFICIO.

Estantes de periódicos

Bocas de incendio

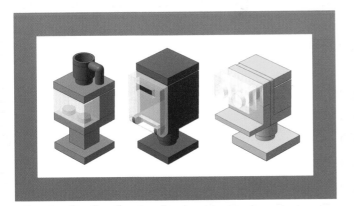

Date un paseo por una acera típica y verás que hay mucho más que el cemento liso gris. Si le añades detalles reales a tu construcción lo puedes hacer con más estilo.

Normalmente puedes encontrar estos dispensadores de revistas o periódicos en las esquinas.

Aquí tienes algunos ejemplos de cómo hacer una boca de incendio. Puedes mezclar los colores para que combinen con la ciudad que estás intentando copiar.

¡OH, FUE AHÍ DONDE DEJÉ MI TAZA!

Parquímetros

¿25 CENTAVOS SÓLO PARA CINCO MINUTOS? ¡ES DIFÍCIL APARCAR EN LA CIUDAD!

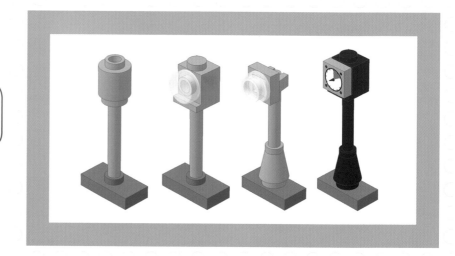

¿Quieres utilizar algunos parquímetros para adornar las calles de tu ciudad LEGO? Aquí te mostramos cómo hacerlo.

Bancos

Aquí tienes algunos ejemplos de diferentes bancos y de una marquesina.

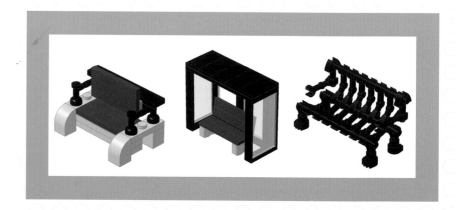

INTENTA CONSTRUIR ESTE.

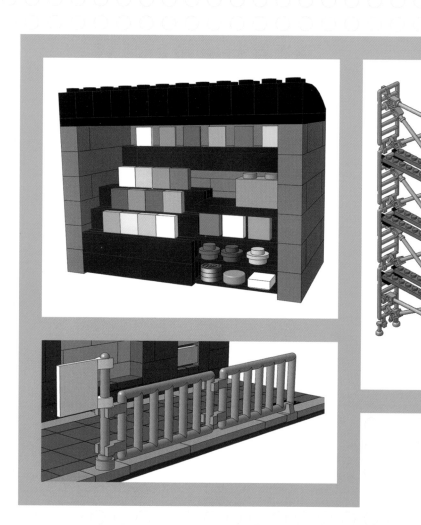

Dale vida a tu ciudad

Dale a tu calle algún interés visual con un aparcabicicletas, un quiosco, o algunos andamios. Quizás puedas añadir algunos trabajadores pintando o reparando una casa.

Tu ciudad necesita un semáforo que ayude a controlar el tráfico. Puedes construir uno simple en la esquina de la calle o también puedes crear uno más elaborado y colgarlo encima de la calle.

No tienes que limitarte a la simple farola que LEGO te proporciona. Hay muchas farolas ahí fuera esperando a ser llevadas a escala LEGO. Échale un vistazo a algunos de estos ejemplos y piensa si puedes adivinar cómo se hacen.

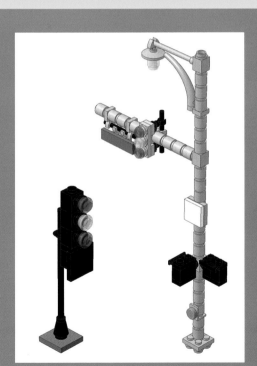

Semáforos

1
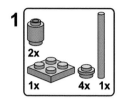
2x
1x 4x 1x

2
1x
7x
1x
1x
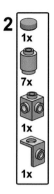

3
2x
2x
2x
2x
2x 2x
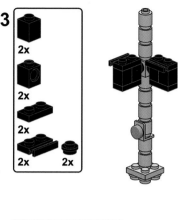

1 2 x2

4
3x
1x
1x
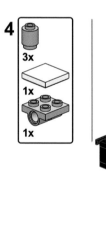 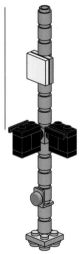

5
1x
1x
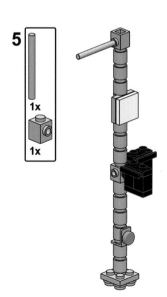

6
4x
1x
 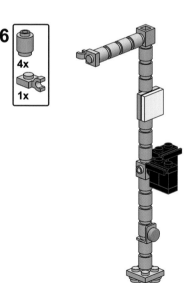

7

1x 1x 2x
2x 1x 3x 1x

1	2

8

1x 5x
1x 2x 1x

1	2

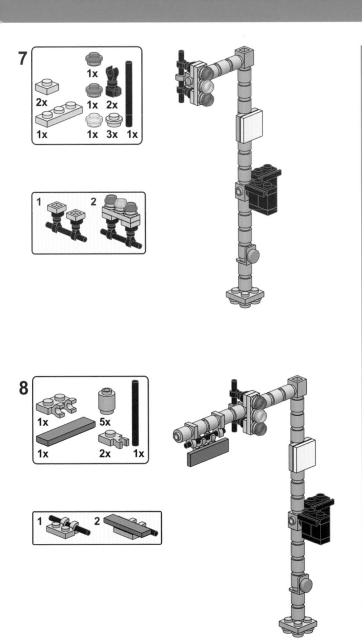

9

1x 1x 6x

10

1x 1x
1x 1x 1x

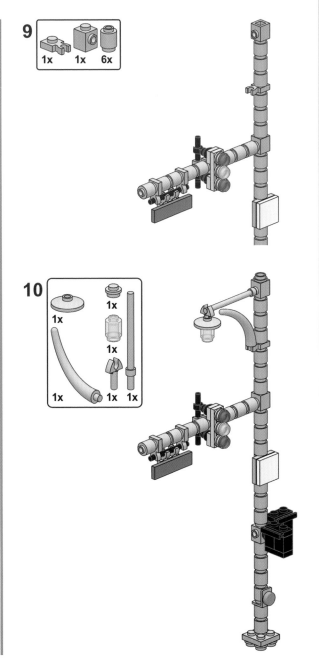

Farolas

1
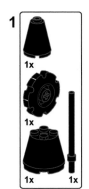
1x

1x

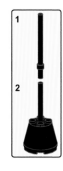
1x 1x

1
2

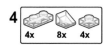

2
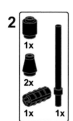
1x

2x

1x 1x

1
2

3
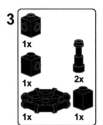
1x

1x

2x

1x 1x

4
4x 8x 4x

1
2
x4

5
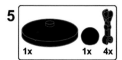
1x 1x 4x

El interior

EXISTEN INFINITAS VARIEDADES DE MUEBLES EN LAS QUE PUEDES INSPIRARTE. ¡EMPECEMOS!

Amueblar el interior de un edificio puede ayudarte a completar la apariencia de tu creación. En este capítulo, revisaremos cada habitación de tu casa y te mostraremos algunos ejemplos de muebles para que puedas comenzar. Esperamos que estos diseños sean inspiradores para ayudarte a probar y crear tus propias versiones.

El salón

Vamos a empezar por el salón. Como punto de partida, intenta copiar los muebles de tu propia casa.

La mesa recibidor que te mostramos aquí tiene lámparas con flecos, estupendas para dar una apariencia retro.

Las técnicas SNOT (Stud Not On Top), se refiere a las construcciones que no acaban en las clásicas espigas.

INTENTA UTILIZAR TÉCNICAS SNOT PARA CONSEGUIR MUEBLES MÁS INTERESANTES.

Mesa recibidor

1
1x
1x
4x

5
4x

2
4x
2x

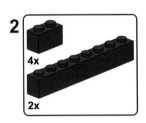

6
2x
1x
2x

3
1x
2x
3x
2x

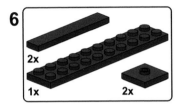

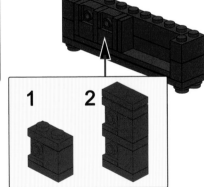

1   2

7
2x
2x
2x   2x   2x

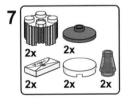

4
1x
2x
3x   2x

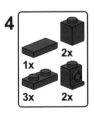

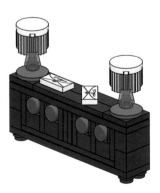

Estanterías

Las estanterías independientes o las empotradas a la pared pueden utilizarse para guardar objetos personales y accesorios que le otorguen carácter a tu casa.

LOS AZULEJOS Y LAS PLACAS DE 1X2 COLOCADOS EN UNA ESTANTERÍA PUEDEN REPRESENTAR LIBROS, REVISTAS, UNA COLECCIÓN DE DISCOS O CUALQUIER COSAS QUE PUEDAS IMAGINAR.

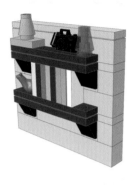

Televisores

Tus minifiguras necesitan entretenimiento, ¿verdad? Créales una tele apropiada de acuerdo con la época en la que estás construyendo tu ciudad.

ESA TELE EN BLANCO Y NEGRO CON ESAS OREJAS DE CONEJO ES UN CLÁSICO.

Asientos

Si utilizas los mismos colores para las sillas y los sofás lograrás crear un conjunto que combine.

Hay muchas formas de hacer diferentes las sillas de cada casa.

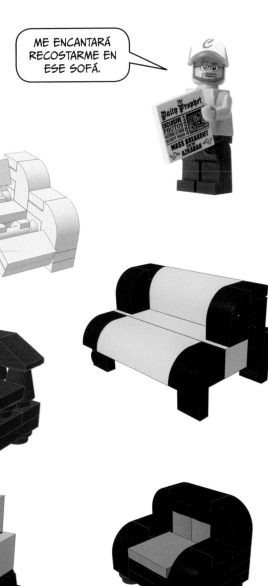

ME ENCANTARÁ RECOSTARME EN ESE SOFÁ.

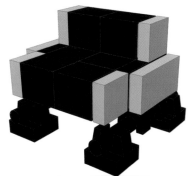

Un reclinable

1

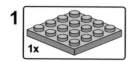
1x

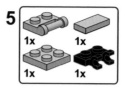

2

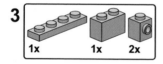
1x
1x
1x

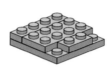

3

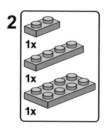
1x 1x 2x

4

1x 2x 2x

5

1x 1x
1x 1x

6

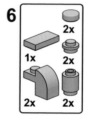
2x
1x 2x
2x 2x

7

1x 1x

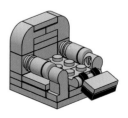

Lámparas

Existen muchísimas formas de añadir lámparas a un lugar habitable. Puedes crear una lámpara de mesa o de pie, como también candelabros o lámparas de techo.

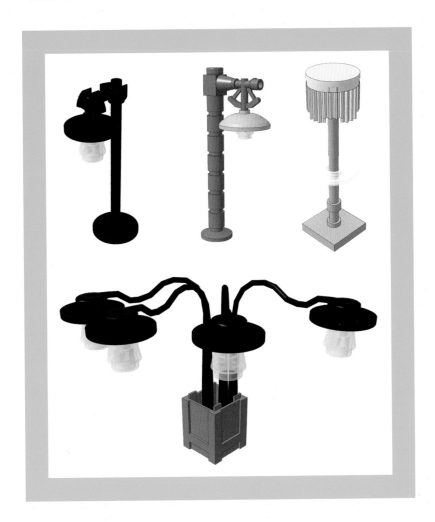

¿QUÉ OTRAS PIEZAS PUEDES UTILIZAR PARA CREAR UNA LÁMPARA?

Plantas

Agrega un toque de color a tu casa añadiendo plantas.

CON TANTAS PLANTAS Y PIEZAS DIFERENTES LAS POSIBILIDADES SON INFINITIAS.

Cuadros

Las obras de arte pueden darle vida a tu habitación.

YA SEA EL HORIZONTE DE UNA CIUDAD, UN RETRATO, UNA IMAGEN DE LA NATURALEZA, O ALGO ABSTRACTO, UN CUADRO PUEDE AÑADIRLE PERSONALIDAD A TU CONSTRUCCIÓN.

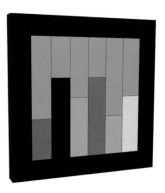
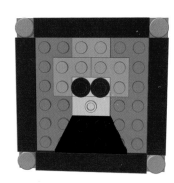
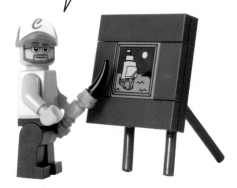

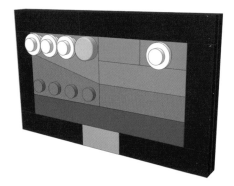

La cocina

Vamos a ver la cocina y descubramos
qué se está cocinando.

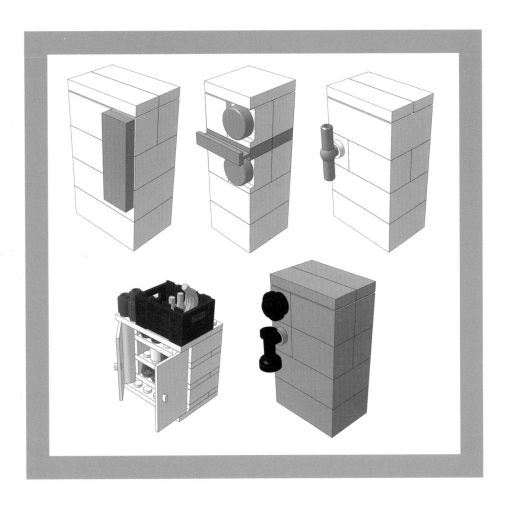

Electrodomésticos

Estos hornos se diferencian solo un poco en el estilo, sin embargo puedes personalizar la cocina y hacer una de las hornillas de color rojo o colocar un sartén encima.

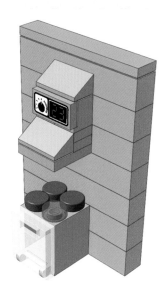

AÑADIR UNA CAMPANA DE COCINA ENCIMA DEL HORNO ES REALEMNTE UN DETALLE QUE LLAMA LA ATENCIÓN.

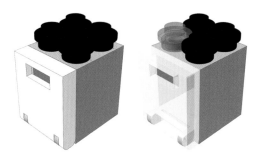

Intenta crear elementos similares a estos para tu cocina. Un lavavajillas, una cafetera, un microondas, una isla encimera, y una tostadora son solo algunos de los accesorios que logran la apariencia total de tu cocina.

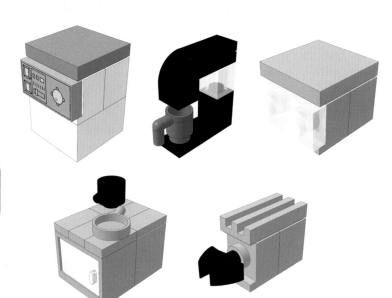

LOS PEQUEÑOS DETALLES TE AYUDARÁN CON EL RESULTADO FINAL.

Armarios

Los armarios pueden crearse a partir de la pared misma o también pueden colgarse de esta.

PUEDES COORDINAR LOS COLORES DE LA MESA, LOS ARMARIOS Y LAS ENCIMERAS.

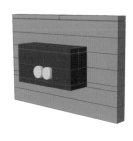

Fregaderos

Los fregaderos vienen en diferentes colores, a veces para que combinen con los electrodomésticos.

SI DEJAS QUE SE VEAN LAS TUBERÍAS DEBAJO CONSEGUIRÁS QUE PAREZCA UN LAVADERO.

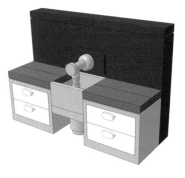

El comedor

Vamos a echarle un vistazo al comedor para descubrir mesas y sillas más sofisticadas.

Intenta hacer una mesa que combine con las sillas o quizás unos taburetes para la encimera.

SI HACES LA MESA DEL COMEDOR MÁS LARGA Y ELEGANTE PODRÁS DIFERENCIARLA DE LA MESA DE LA COCINA.

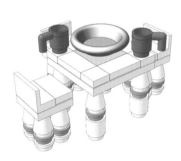

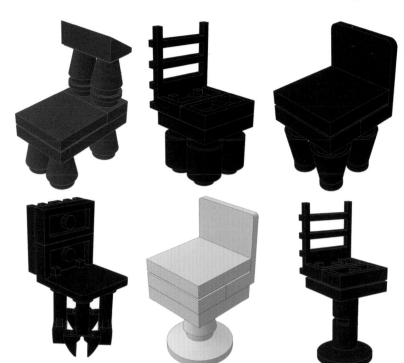

INTENTA HACER UNA SILLA CON BRAZOS.

UNA VITRINA ESQUINERA PUEDE MOSTRAR LA VAJILLA.

La habitación

Las camas vienen en todas las formas y
tamaños. Ya sea un baldaquín, una litera,
una cama doble, o una que tenga un col-
chón deslizable. Una buena cama puede
ser el punto fuerte de la habitación.

INTENTA CONSTRUIR
LA CAMA DE LA PÁGINA
SIGUIENTE CON LAS
SÁBANAS DEL COLOR
QUE QUIERAS USAR.

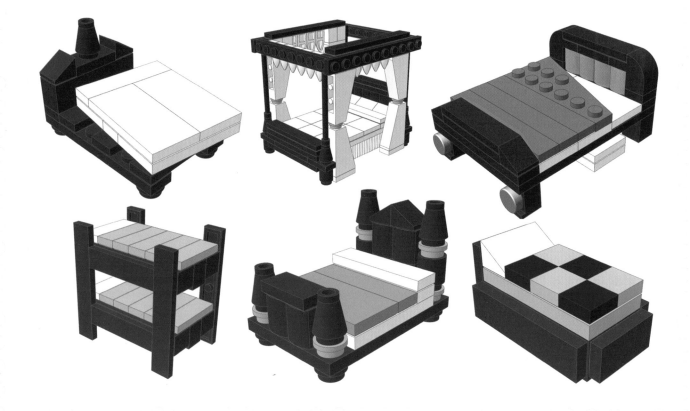

Una cama tamaño King

1

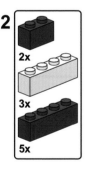

2x
1x
1x
4x

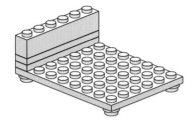

2

2x
3x
5x

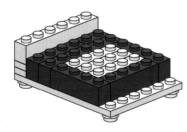

3

2x
6x

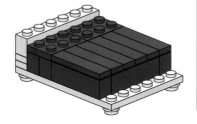

4

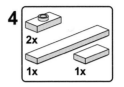

2x
1x   1x

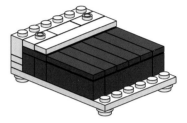

5

2x
2x   4x

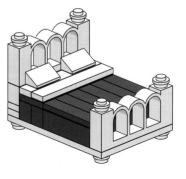

Cómodas y mesas de noche

Revisemos algunos ejemplos de cómodas y mesas de noche. Las mesas de noche son como apoya libros para la cama. Para añadirles algún detalle, coloca objetos encima, relojes, lámparas o libros.

HACER UN JUEGO DE MUEBLES ES FÁCIL SI UTILIZAS LOS MISMOS COLORES EN LAS PIEZAS.

La habitación de los niños

Normalmente la habitación de los niños es diferente a la de los adultos y debe tener los muebles y los chismes correspondientes.

UNA CAMA CON FORMA DE BÓLIDO Y LOS COLORES LLAMATIVOS DEJAN CLARO QUE SE TRATA DE LA HABITACIÓN DE UN NIÑO.

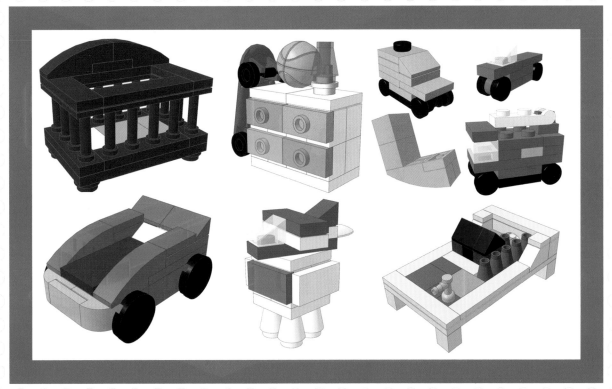

Cama con forma de bólido

1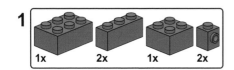

2

3

4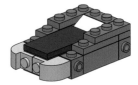

5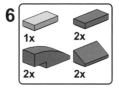

6

7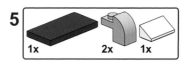

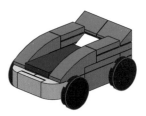

El baño

Veamos el baño y los componentes LEGO que lo componen.

Instala un espejo en la pared encima del lavamanos.

Para completar el baño está el inodoro.

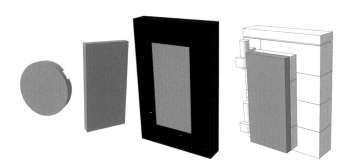

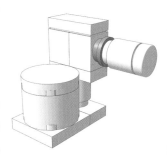

La bañera

1 2x

2 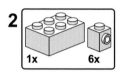 1x 6x

3 2x 3x

4 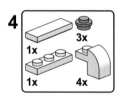 3x 1x 1x 4x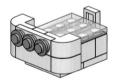

5 2x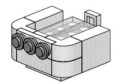

6 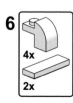 4x 2x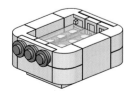

Estas bañeras independientes son excelentes para baños grandes.

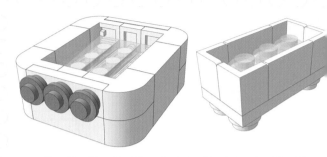

Puedes elegir entre esta bañera con ducha o un plato de ducha simple, dependiendo del tamaño del baño.

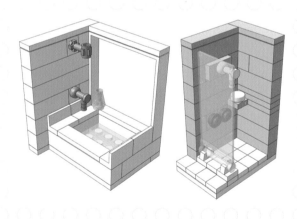

PUEDES COLOCAR LA PARTE SUPERIOR DE TU MINIFIGURA DENTRO DE LA BAÑERA PARA QUE PAREZCA QUE ESTÁ SUMERGIDA EN EL AGUA.

Edificios públicos

Las casas no son el único estilo de edificio modular que se puede construir. Aquí te mostramos algunos ejemplos de muebles de diferentes edificios comerciales.

Un banco

Estos muebles de oficina fueron utilizados en nuestro modelo de Banco Nacional.

ESTA VENTANILLA DE BANCO MUY ELABORADA RECUERDA LOS BANCOS DE LOS AÑOS 1930 O 1940

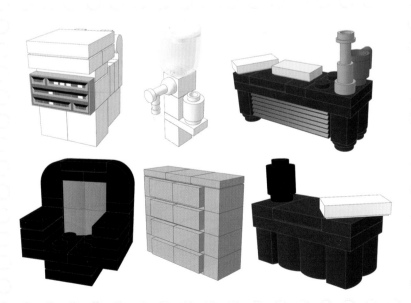

Un restaurante

Aquí tienes algunos ejemplos de los accesorios que podemos encontrar en la cocina de un restaurante. Un fregadero más grande, una mesa de preparación, y unas estanterías para los ingredientes pueden ayudarte a rellenar la cocina.

El comedor del restaurante normalmente se compone de reservados, mesas, sillas, un bar, y algunos elementos decorativos como plantas o cuadros en las paredes.

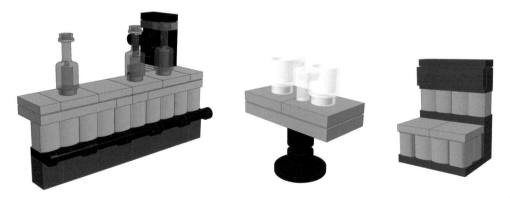

Un hotel

Échale un vistazo a estos ejemplos de muebles que puedes encontrar en la habitación de un hotel

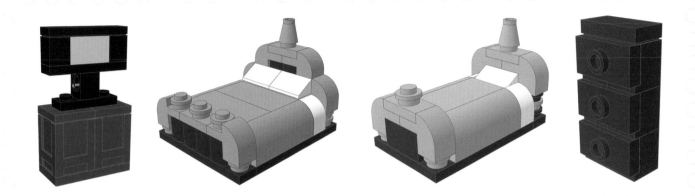

En la recepción puedes ver un buzón, un pedestal de flores, una máquina de llaves, y mostrador principal.

Una joyería

Estas vitrinas expuestas lucirán estupendas en una joyería o en una tienda de antigüedades.

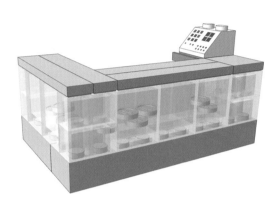  

VAYAMOS AL SIGUIENTE CAPÍTULO Y VEAMOS LA GALERÍA DE EDIFICIOS TERMINADOS.

6

Galería de edificios con módulos

Échale un vistazo a algunos de los edificios modulares que hemos creado. Si aún no has creado un edificio LEGO original, te animamos a que lo intentes. Inspírate en los modelos de este capítulo; también en los creados por el Grupo LEGO.

Estas casas representan los dos estilos principales que se levantan en una y otra orilla de los canales de Amsterdam. El edificio más estrecho de apartamentos, con techos abruptamente inclinados y los postes al lado del canal crean una imagen definitivamente holandesa.

El restaurante de la ciudad tiene un simpático símbolo. Como también la fachada, con alguna cantería creativa. Tiene una cocina completa en la parte trasera.

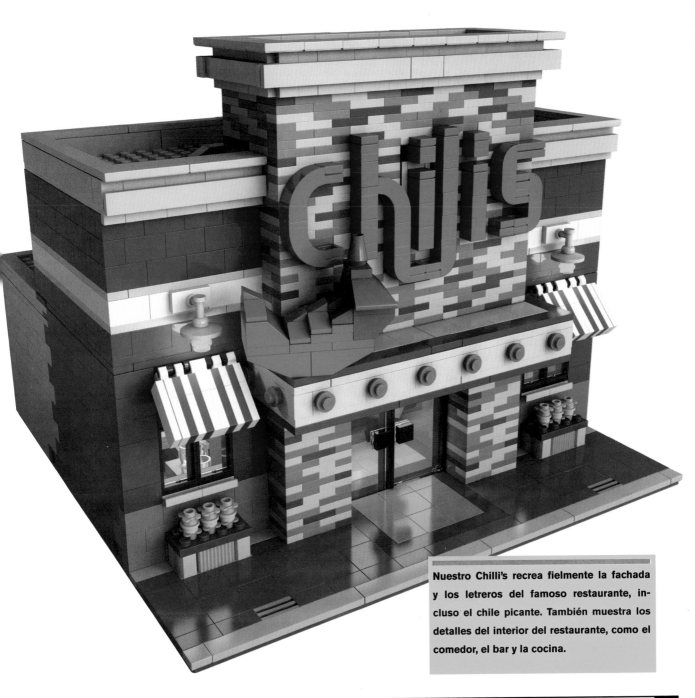

Nuestro Chilli's recrea fielmente la fachada y los letreros del famoso restaurante, incluso el chile picante. También muestra los detalles del interior del restaurante, como el comedor, el bar y la cocina.

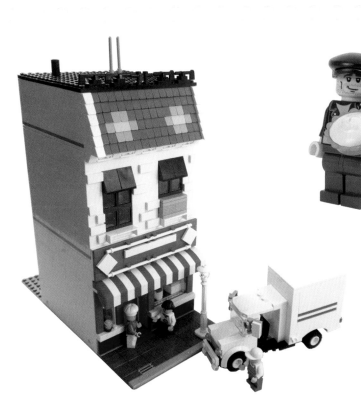

ESTA PANADERÍA ESTÁ INSPIRADA EN UNA TIENDA DE PASTELES DE NEW JERSEY. TIENE UN APARTAMEMTO EN EL SEGUNDO PISO.

LA CASA DE COLOR AZUL ARENA DE LA DERECHA SE COPIÓ DE UNA CASA DEL BARRIO DE GEORGETOWN, EN WASHINGTON, DC.

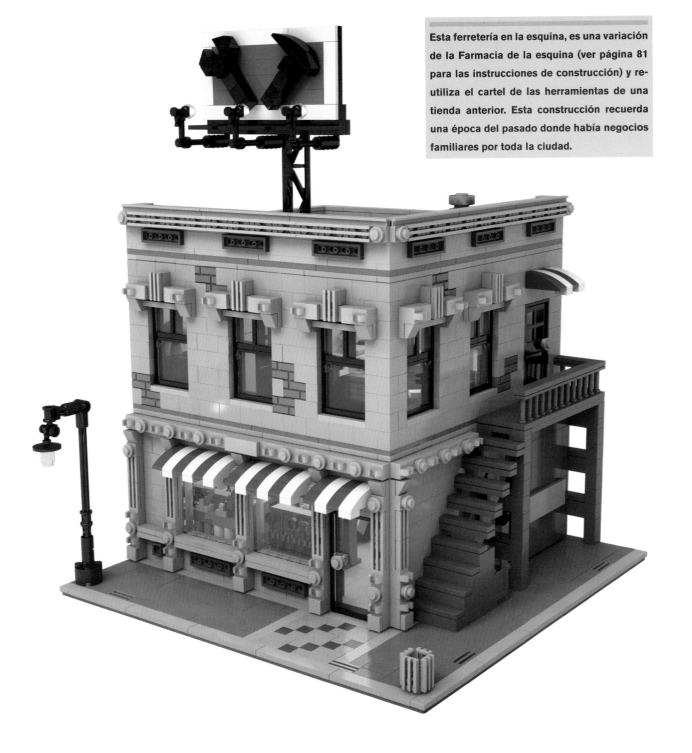

Esta ferretería en la esquina, es una variación de la Farmacia de la esquina (ver página 81 para las instrucciones de construcción) y re-utiliza el cartel de las herramientas de una tienda anterior. Esta construcción recuerda una época del pasado donde había negocios familiares por toda la ciudad.

CREAMOS ESTOS DOS MODELOS UTILIZANDO LAS PIEZAS DE LA BRIGADA DE BOMBEROS (SET #10197). LA COLECCIÓN DE LAS PIEZAS DE COLOR ROJO INTENSO TE ANIMAN A CREAR TRABAJOS INTERESANTES.

ESTE CINE ALTERNATIVO (SET #10232) ES UN CLUB DE COMEDIANTES CON UN BAR CAFETERÍA EN EL SEGUDO PISO.

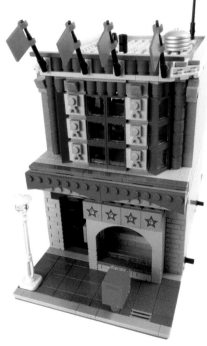

ESTA FERRETERÍA FUE UNA DE MIS PRIMERAS CREACIONES.

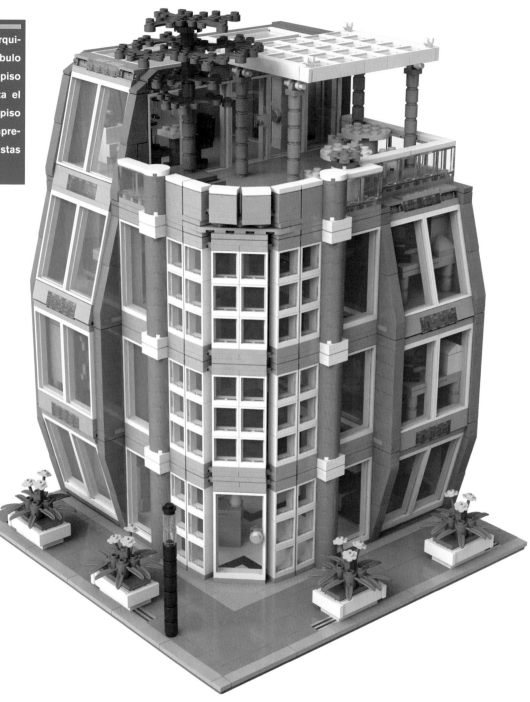

Esta empresa de arquitectura tiene un vestíbulo abierto en el primer piso que se extiende hasta el tercer piso. Desde el piso superior se pueden apreciar las imponentes vistas de la ciudad.

El Banco Nacional está inspirado en un banco de Richmond, Virginia, y muestra una arquitectura neoclásica.

Una tienda de submarinismo.

Esta floristería de tres plantas tiene la fachada pintada en dos tonos de azul.

ESTA CASA CON PARTES EN AZUL FUE EL PRIMER EDIFICIO MODULAR QUE DISEÑÉ YO MISMO.

Esta tienda se construyó con las piezas del Grand Emporium (set # 10211).

La casa con buhardilla fue creada con piezas de **La casa encantada (set #10228)** y una placa base. ¡No te sientas obligado a utilizar la construcción modular LEGO como tu inspiración inicial!

CREAMOS ESTA TIENDA DE HERRAMIENTAS CON UNA HOJA DE VIDRIO EN LA FACHADA Y APARTAMENTOS EN LA PARTE SUPERIOR UTILIZANDO LAS PIEZAS DE LA FRUTERÍA (SET #10185).

Mini módulos

Estos son versiones de algunos de nuestros modelos a escala más pequeña. Medida para estos edificios es de 8x8, no 32x32. ¡Construir a escala menor es un gran reto creativo!

Restaurante Chilli's

Casa colonial del renacimiento y Panadería

Comisaría

Banco nacional

Una farmacia en la esquina

La Farmacia de la esquina recrea el icono clásico de la farmacia americana. Incluso podemos ver al empleado detrás del mostrador. La farmacia tiene una pequeña tienda y también una pequeña habitación para entregas. Las escaleras te llevan al segundo piso que es un apartamento completamente equipado para el dueño de la tienda. El símbolo farmacéutico del mortero y el anuncio de «SODA» en el techo identifican al instante el edificio sin tener que mirar el interior.

Te animamos a experimentar y personalizar tus creaciones. ¡Te daremos algunas ideas mientras construyes!

Lista de piezas

Para descargar una lista de las piezas visita *http://nostarch.com/legoneighborhood/*.
Mientras en estas páginas podrás encontrar instrucciones para hacer un camión de entrega que quepa perfectamente en el almacén.

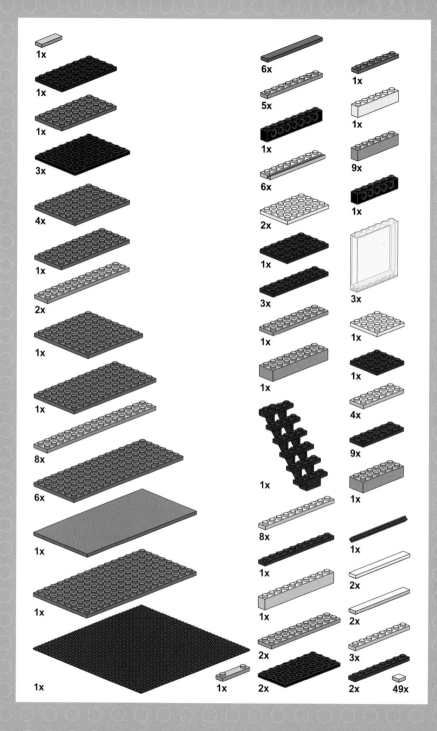

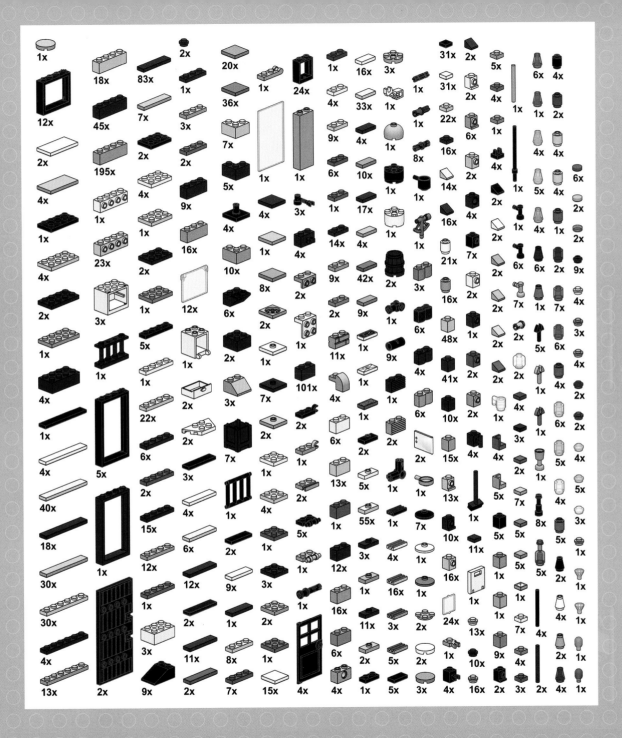

Primer piso

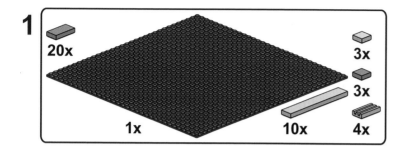

1
20x
3x
3x
1x
10x
4x

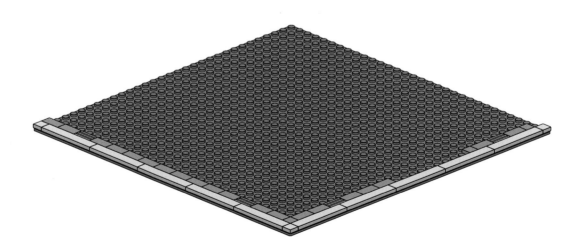

2

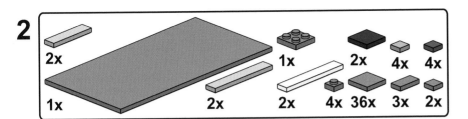

2x 1x 2x 1x 2x 4x 36x 2x 4x 4x 3x 2x

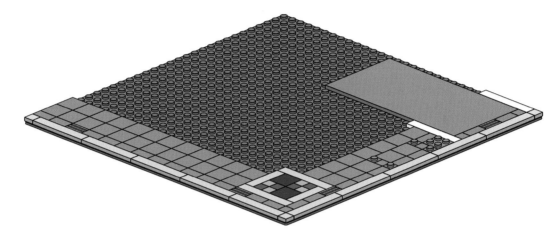

3

6x 1x 2x 1x 19x 1x 1x 2x

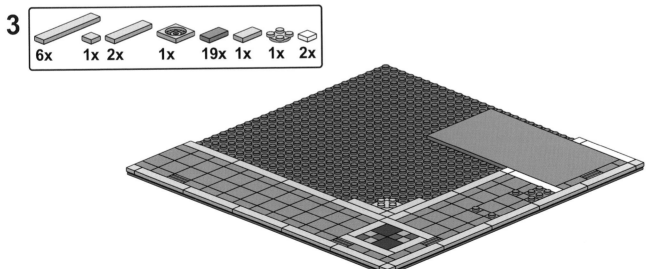

4

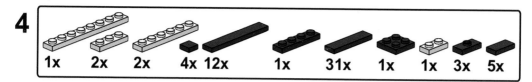

1x   2x   2x   4x   12x   1x   31x   1x   1x   3x   5x

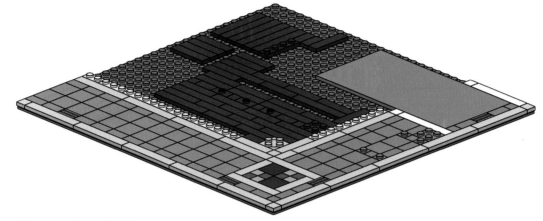

5

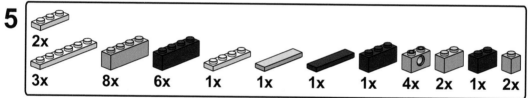

2x
3x   8x   6x   1x   1x   1x   1x   4x   2x   1x   2x

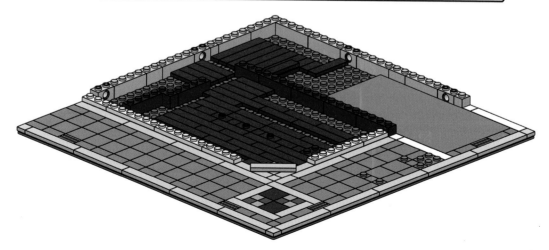

6

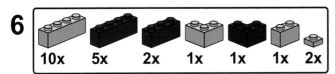

10x 5x 2x 1x 1x 1x 2x

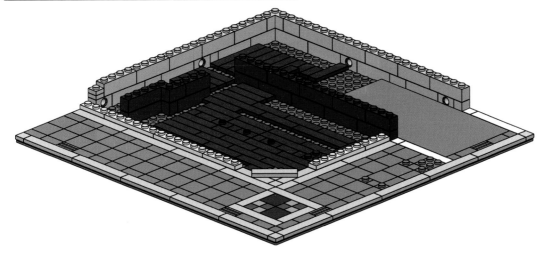

7

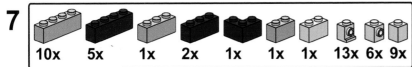

10x 5x 1x 2x 1x 1x 1x 13x 6x 9x

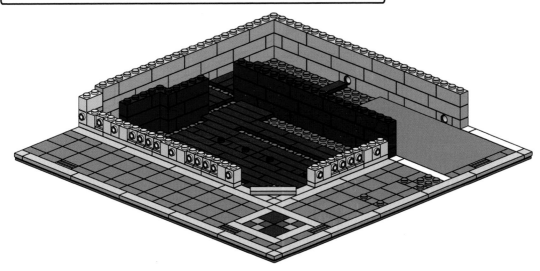

8

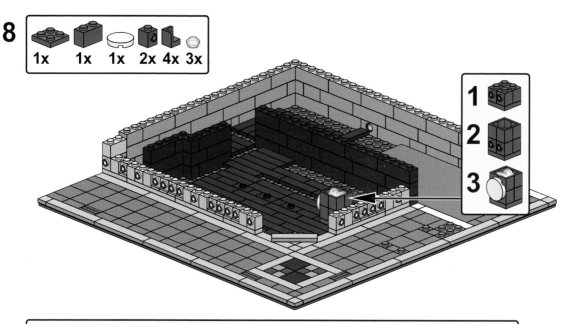

9

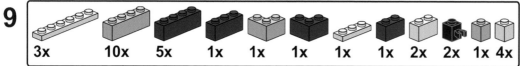

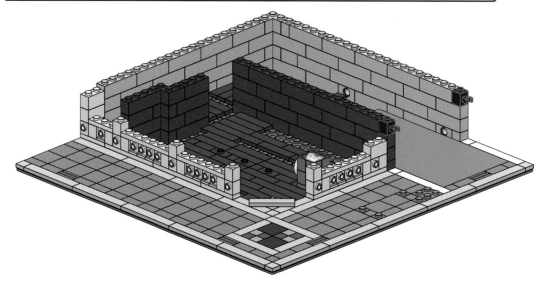

10

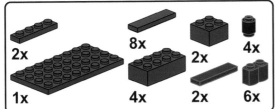

2x
8x
4x
2x
1x
4x
2x
6x

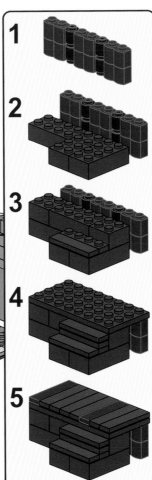

1

2

3

4

5

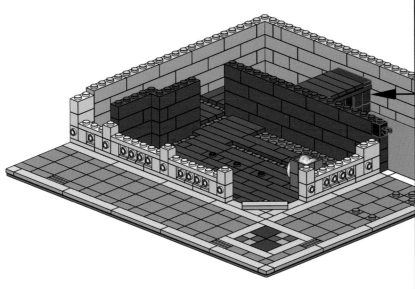

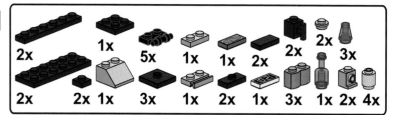

11

2x 1x 5x 1x 1x 2x 2x 2x 3x

2x 2x 1x 3x 1x 2x 1x 3x 1x 2x 4x

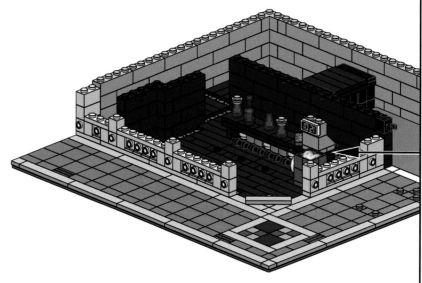

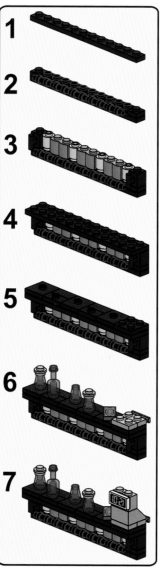

1
2
3
4
5
6
7

12

1x 1x 2x 1x 1x

1

2 x3

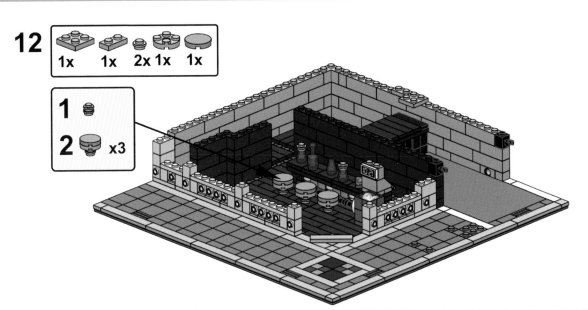

13

1x

3x 1x 9x 5x 1x 1x 1x 2x 1x 1x 1x 2x 1x 4x

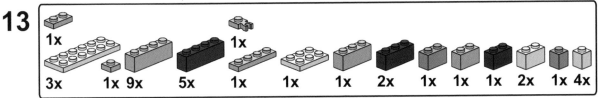

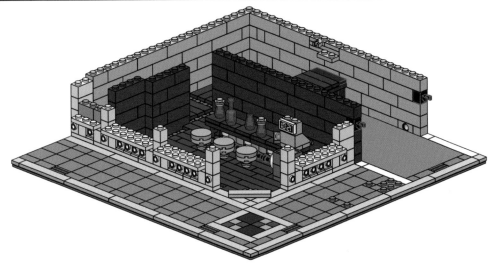

14

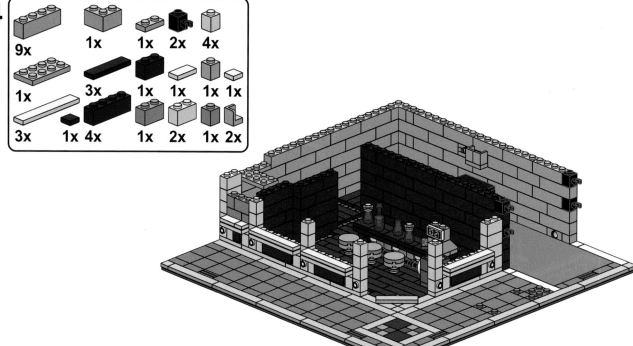

9x 1x 1x 2x 4x
1x 3x 1x 1x 1x 1x
3x 1x 4x 1x 2x 1x 2x

15

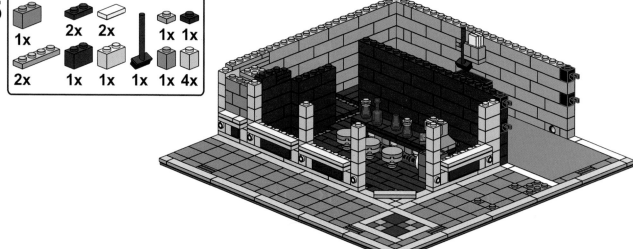

1x 2x 2x 1x 1x
2x 1x 1x 1x 1x 4x

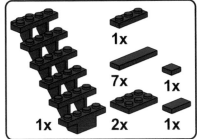

16

1x

7x

1x

1x

2x

1x

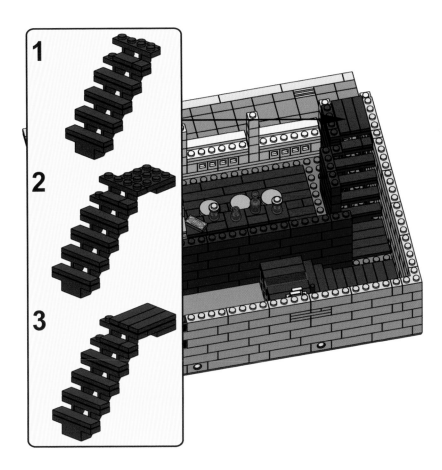

1

2

3

17

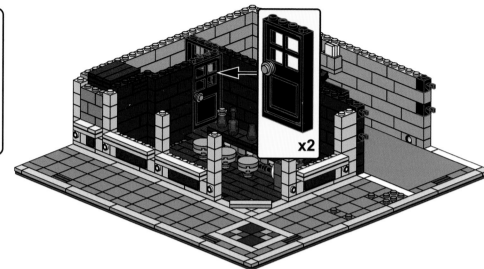

18

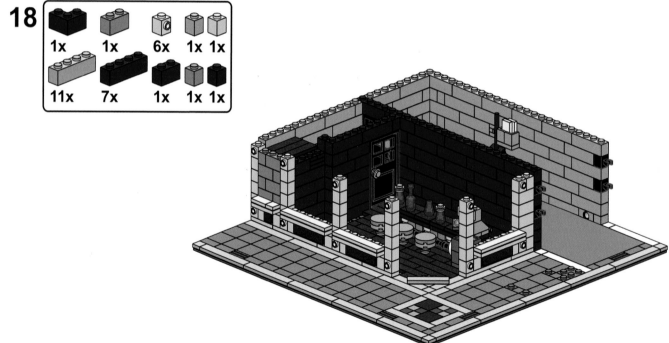

19

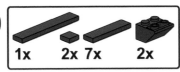

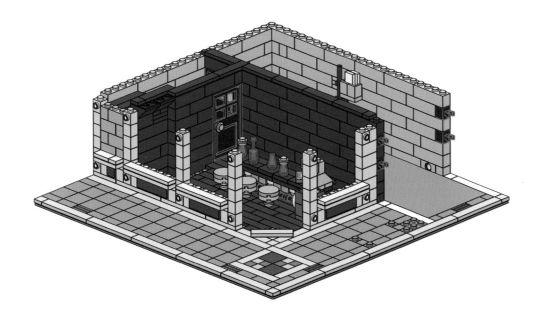

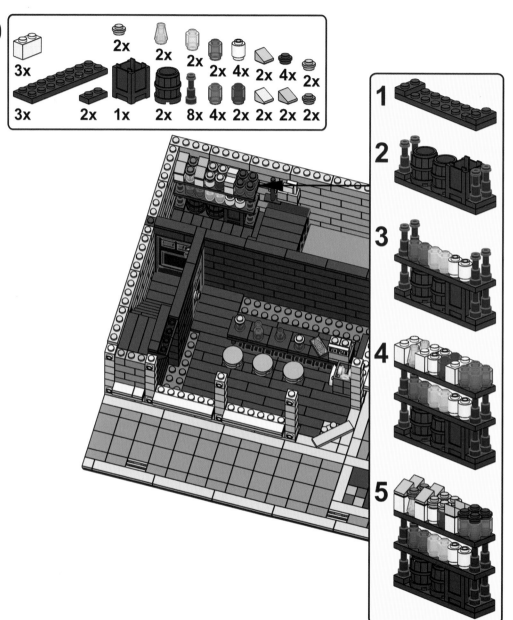

20

3x 2x 2x 2x 2x 4x 2x 4x 2x

3x 2x 1x 2x 8x 4x 2x 2x 2x 2x

1

2

3

4

5

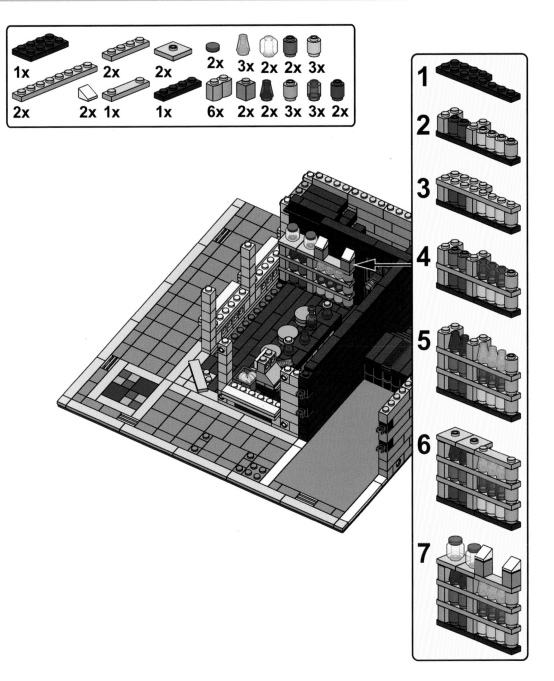

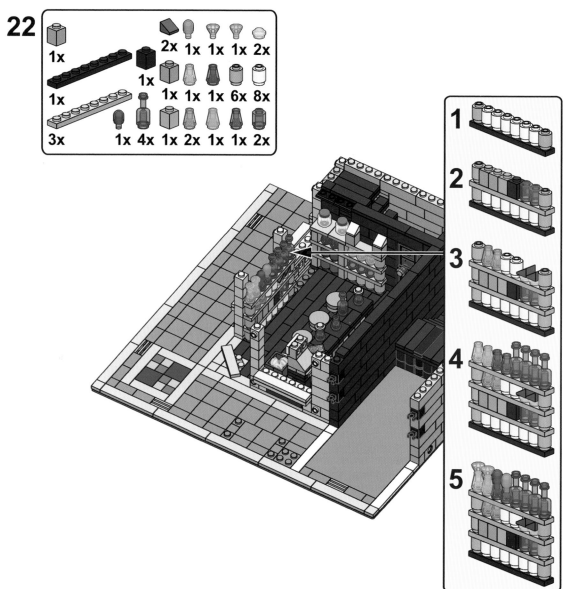

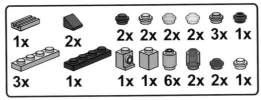

23

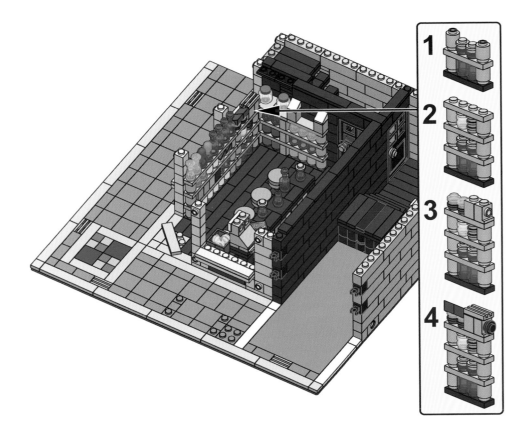

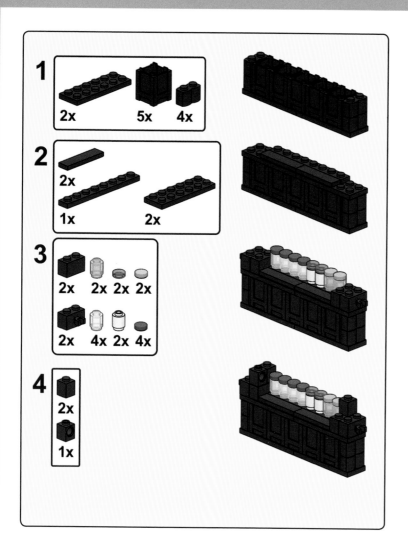

1
2x 5x 4x

2
2x
1x 2x

3
2x 2x 2x 2x
2x 4x 2x 4x

4
2x
1x

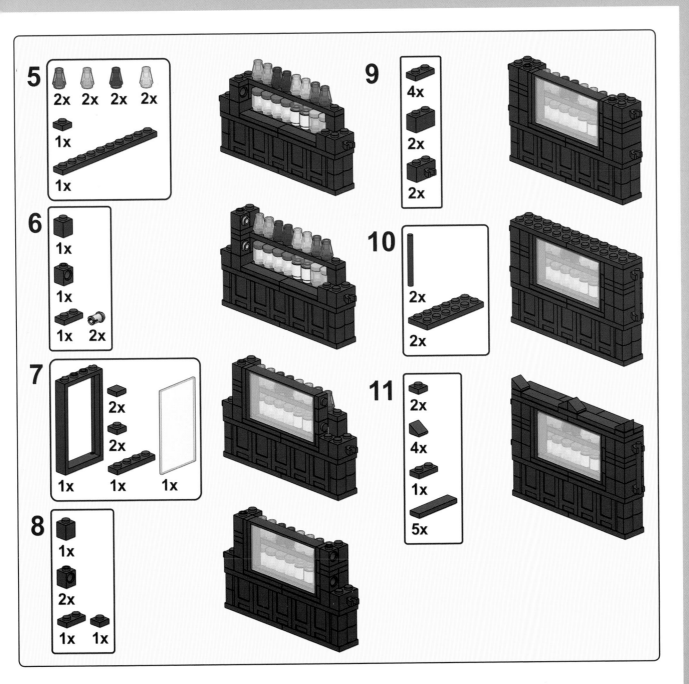

PUEDES HACER LA TIENDA QUE QUIERAS. AQUÍ TIENES CÓMO CONVERTIMOS LA FARMACIA EN UNA FERRETERÍA CON HERRAMIENTAS EN LAS ESTANTERÍAS Y TORNILLOS EN LOS CUBOS.

25

1x 2x 1x 1x 1x

9x 1x 1x 2x 1x 5x

26

2x 1x 1x 5x

3x 2x 10x 1x 1x 1x

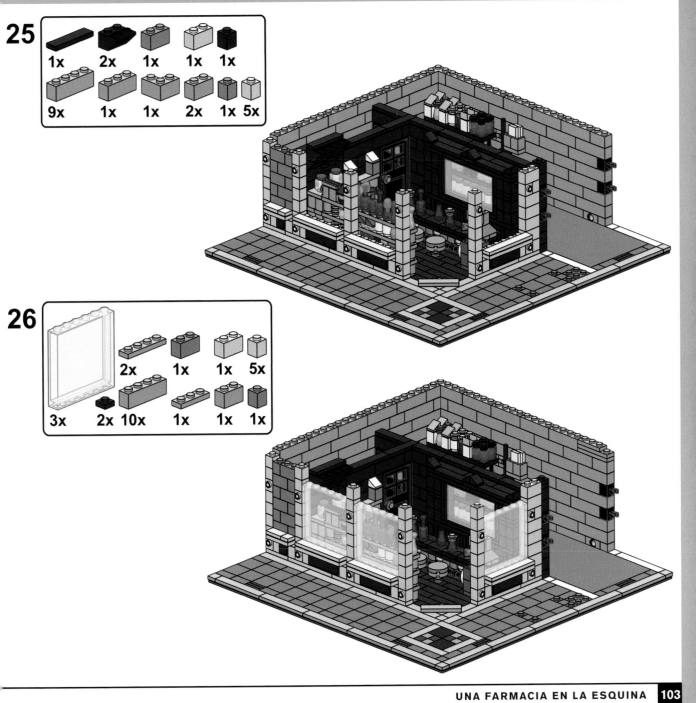

27

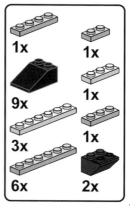

1x 1x
9x 1x
3x 1x
6x 2x

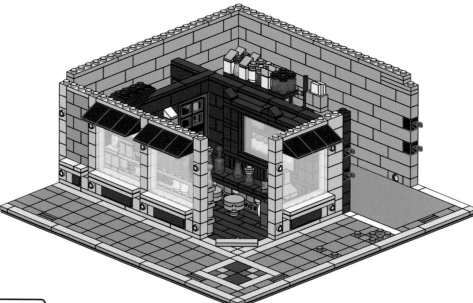

28

1x 1x 1x
6x 1x 1x

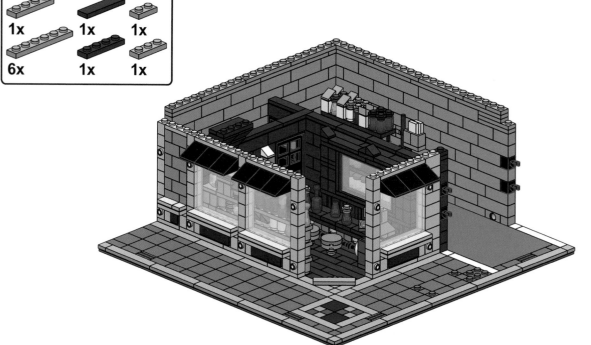

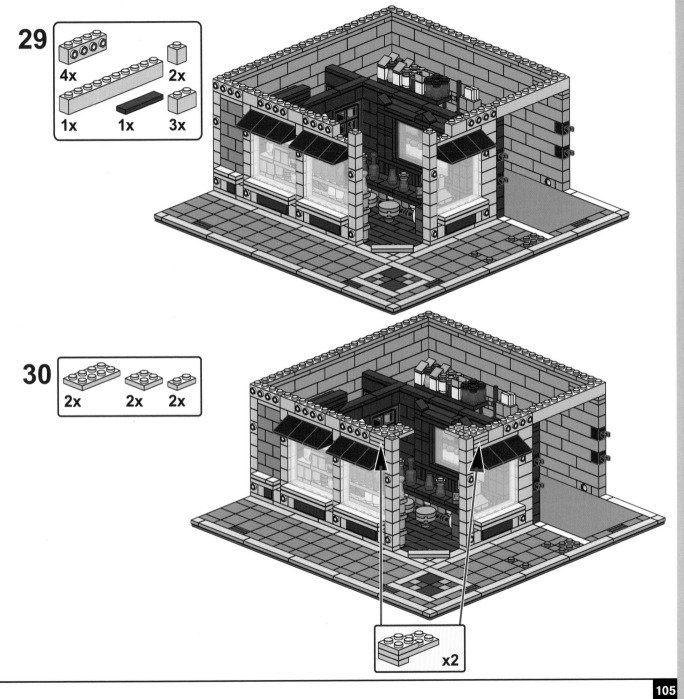

29

4x 2x

1x 1x 3x

30

2x 2x 2x

x2

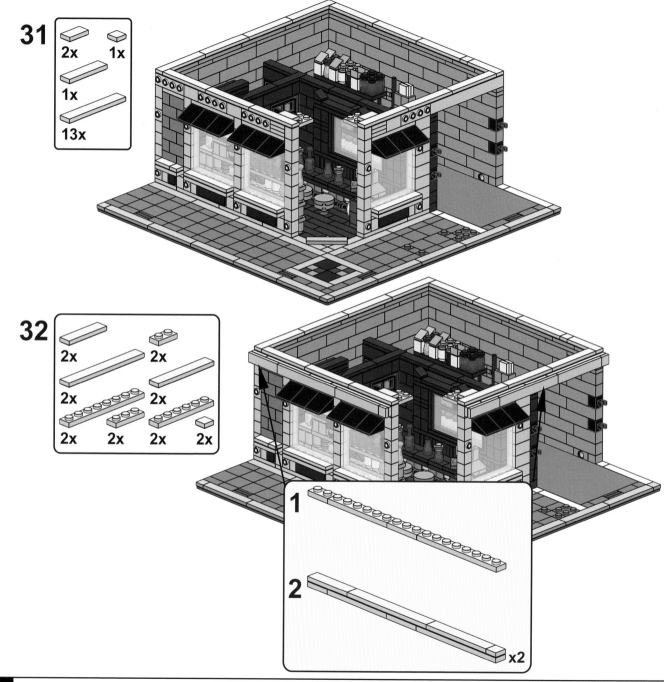

31

2x 1x

1x

13x

32

2x 2x

2x 2x

2x 2x 2x 2x

1

2

x2

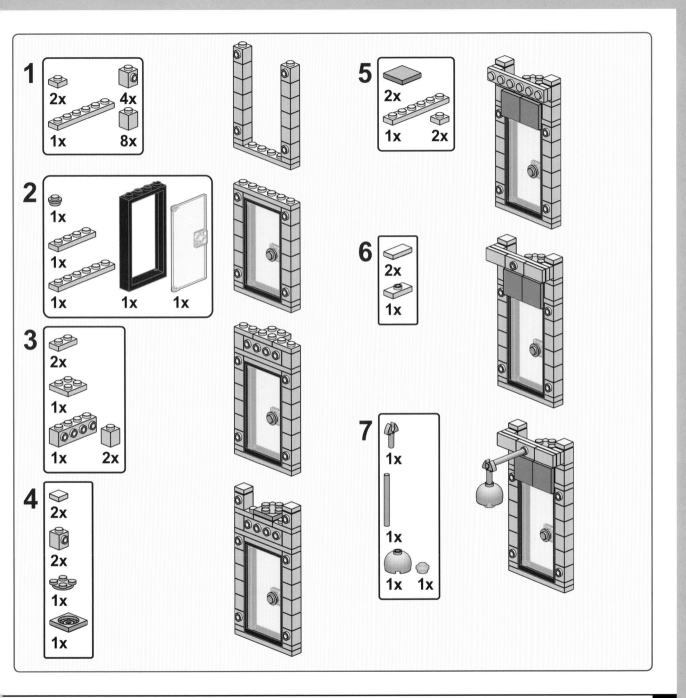

33

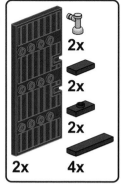

2x
2x
2x
2x 4x

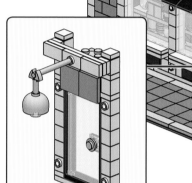

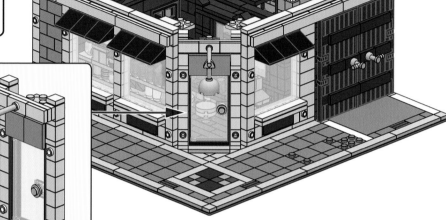

SI QUIERES PUEDES HACER UNA PUERTA CON UNA SOLA BISAGRA.

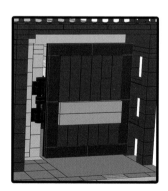

34

16x
8x
8x
16x 40x

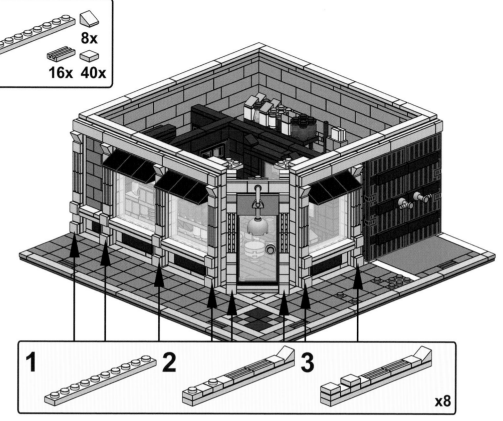

1 **2** **3** x8

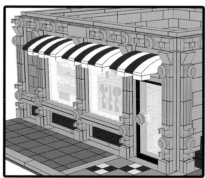

CAMBIAR LAS MOLDURAS Y LOS TOLDOS MARCA UNA GRAN DIFERENCIA EN LA APARIENCIA Y EL ESTILO DE LA TIENDA.

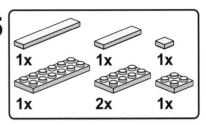

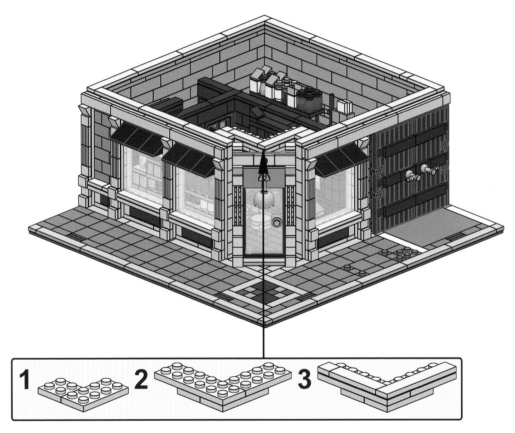

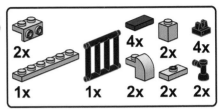

36

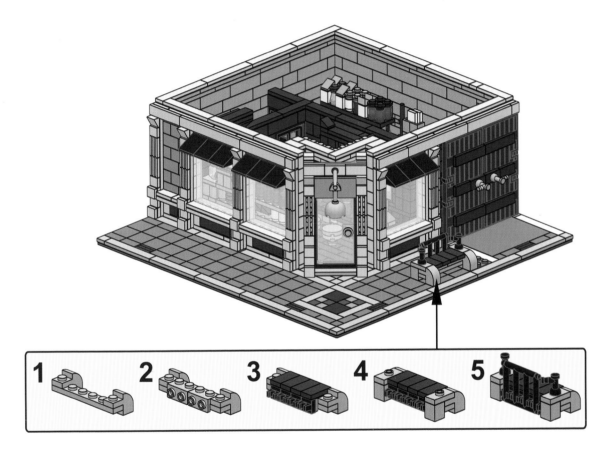

37

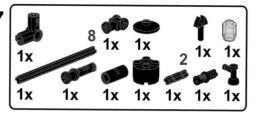

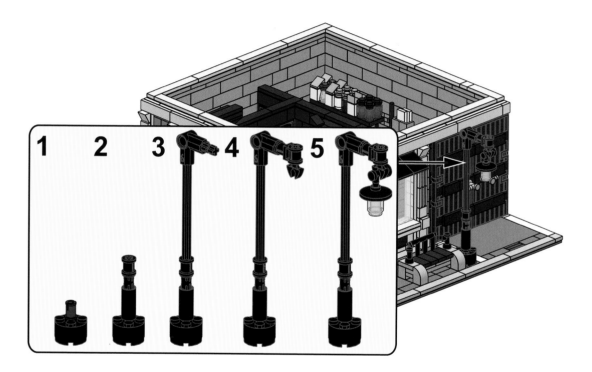

Segundo piso

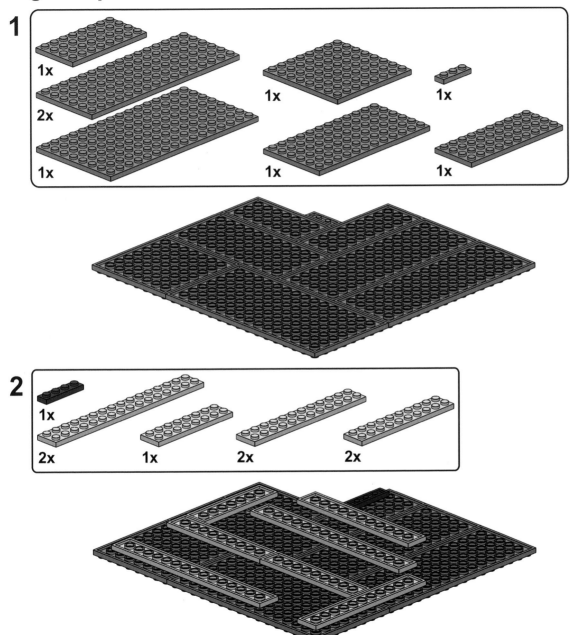

1

1x

2x

1x

1x

1x

1x

1x

2

1x

2x

1x

2x

2x

3

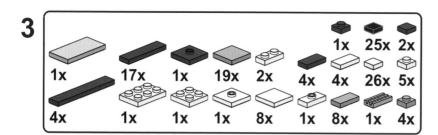

1x 25x 2x
1x 17x 1x 19x 2x 4x 4x 26x 5x
4x 1x 1x 1x 8x 1x 8x 1x 4x

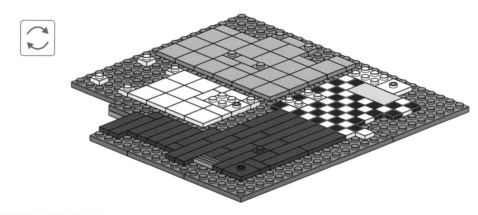

4

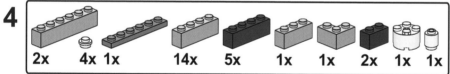

2x 4x 1x 14x 5x 1x 1x 2x 1x 1x

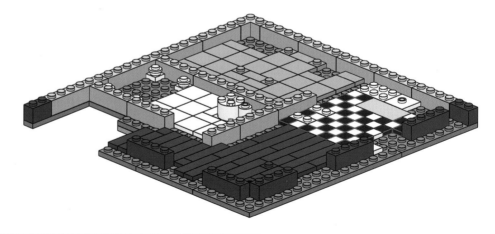

5

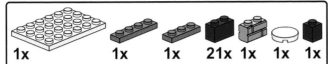

1x 1x 1x 21x 1x 1x 1x

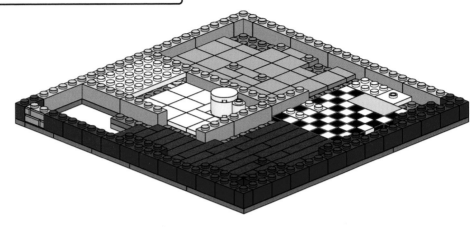

6

2x 1x 24x 4x

1x 2x 12x 4x 1x 8x 1x 3x 1x 1x

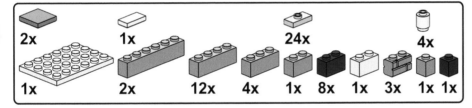

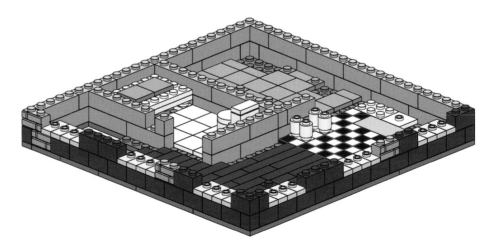

7

1x   1x   2x   2x

1x
1x 1x

1x
1x
1x 1x

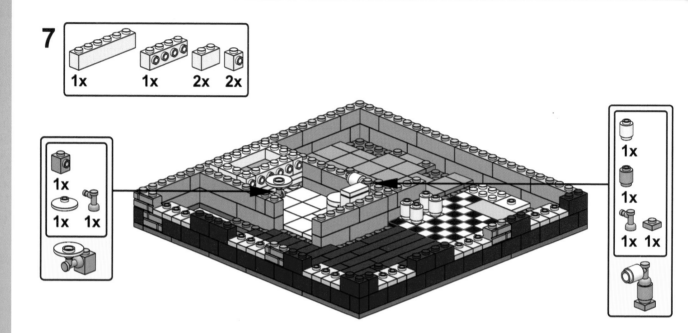

8

2x   1x   1x   1x   1x   1x   1x   2x   1x

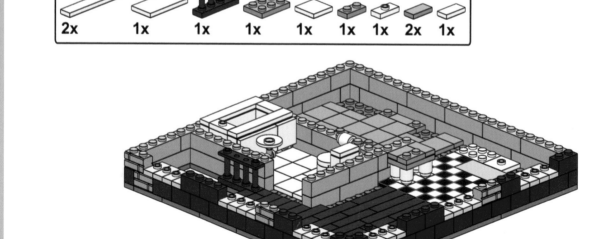

9

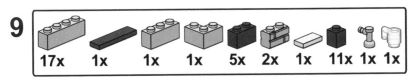

17x 1x 1x 1x 5x 2x 1x 11x 1x 1x

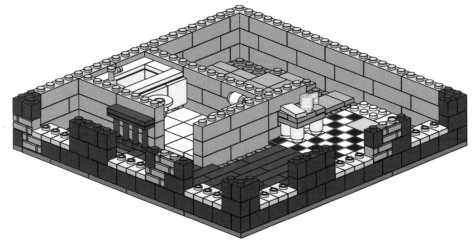

10

1x 1x 2x 1x 3x 1x 1x 2x 1x 4x 1x

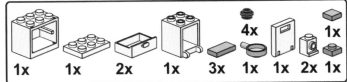

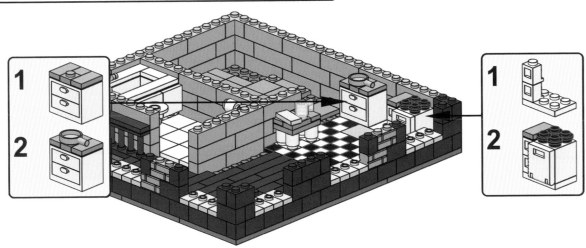

1
2

1
2

11 1x 1x 3x 2x

1
2

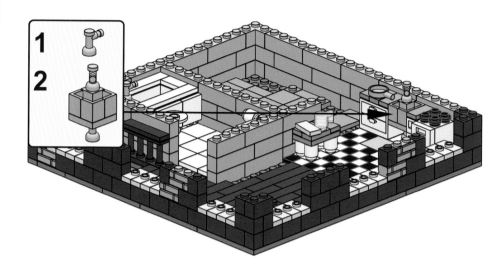

12 3x 11x 2x 1x 2x 10x 1x 1x 1x

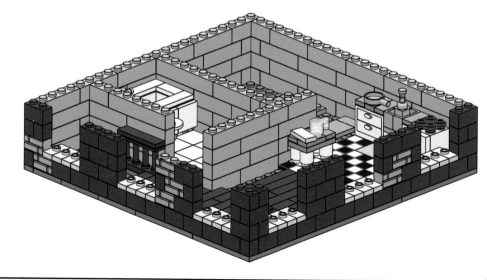

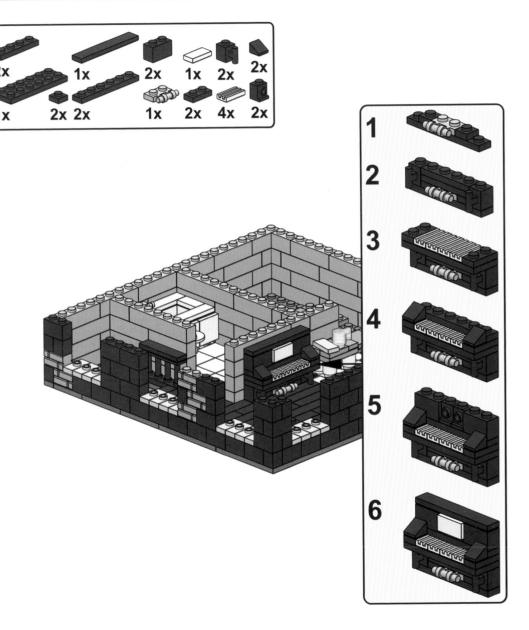

14

1x 1x 4x 1x 1x 1x
1x 2x 1x 3x 1x 8x 1x

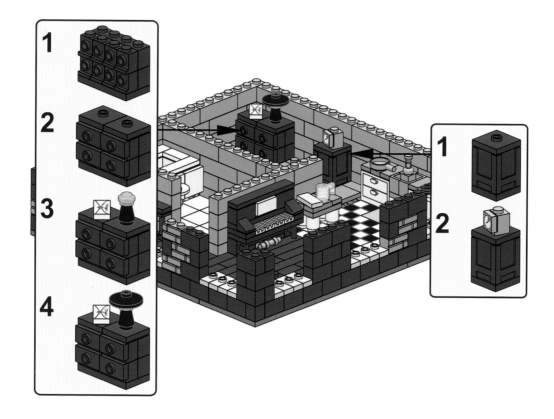

15

1x 2x 1x 6x
1x 1x 2x 2x
1x 2x 2x 6x

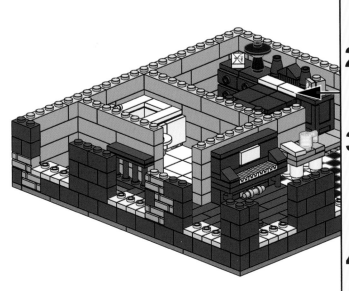

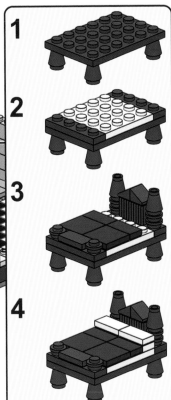

1

2

3

4

16

13x 1x 7x 11x 1x
1x 1x 1x 1x 1x 1x

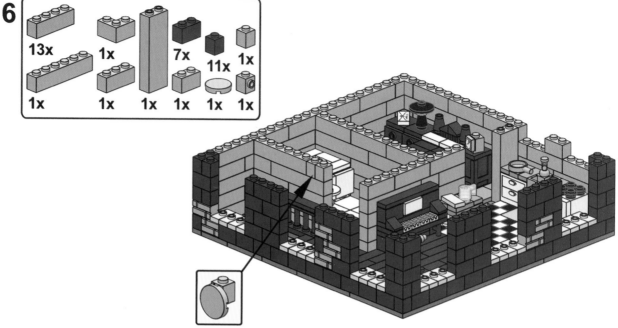

17

1x 12x 3x 3x 11x 3x 1x

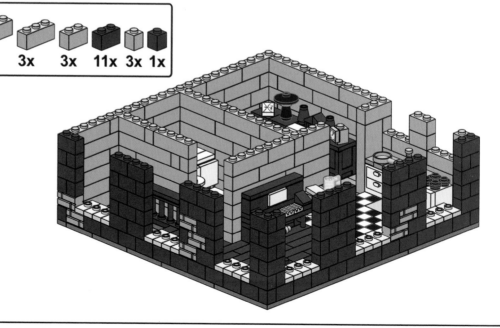

18

19

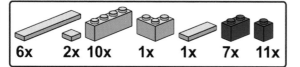

6x 2x 10x 1x 1x 7x 11x

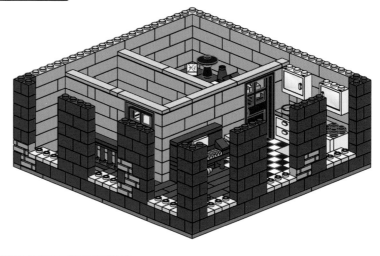

20

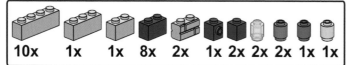

10x 1x 1x 8x 2x 1x 2x 2x 2x 1x 1x

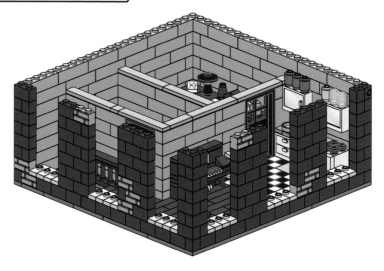

21

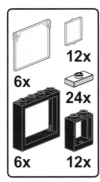

6x · 12x · 24x · 6x · 12x

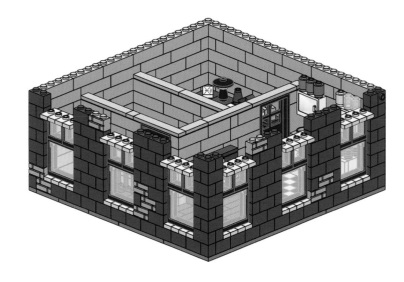

22

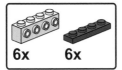

6x · 6x

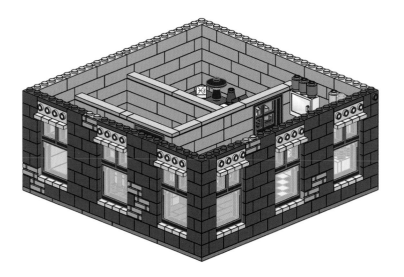

23

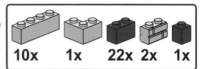

10x 1x 22x 2x 1x

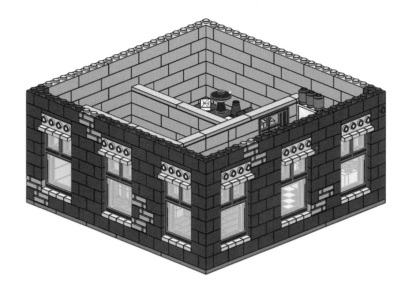

24

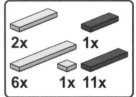

2x 1x
6x 1x 11x

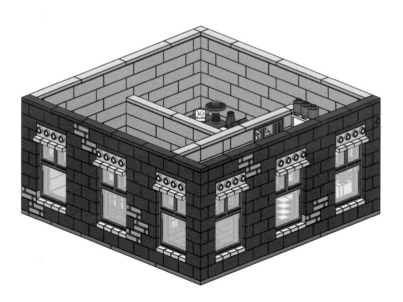

25

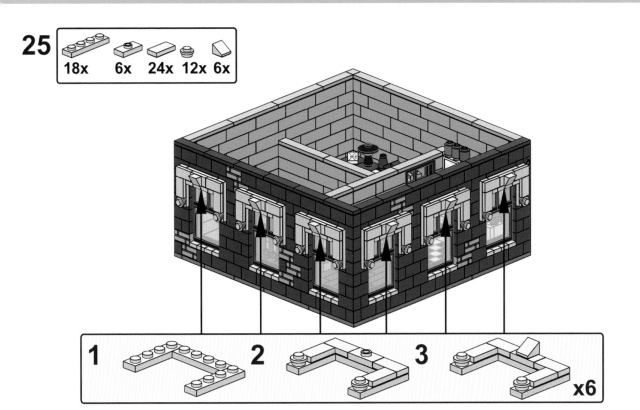

18x | 6x | 24x | 12x | 6x

1   2   3   x6

> INTENTA CAMBIAR LA MOLDURA DE LA VENTANA.

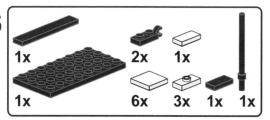

1x 1x 2x 1x 6x 3x 1x 1x

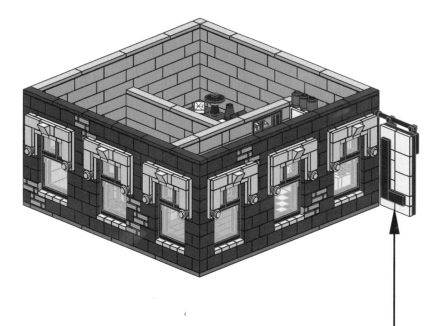

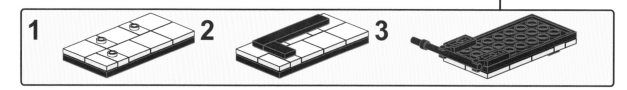

1   2   3

27

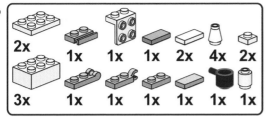

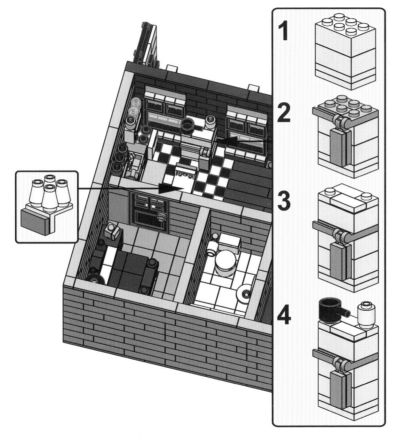

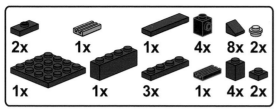

28

2x 1x 1x 4x 8x 2x
1x 1x 3x 1x 4x 2x

1
2
3
4

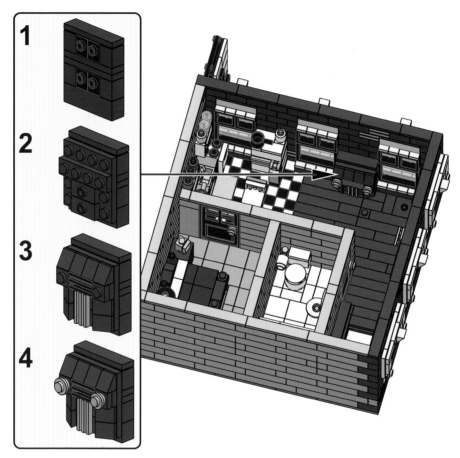

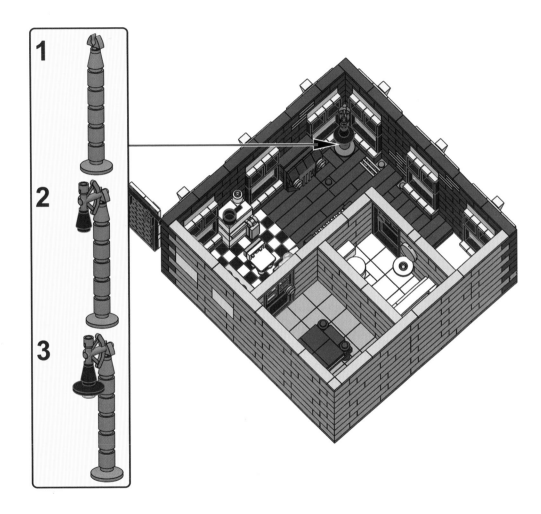

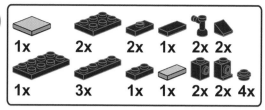

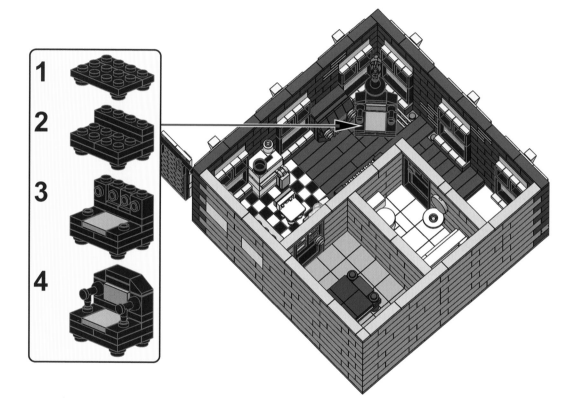

29

31

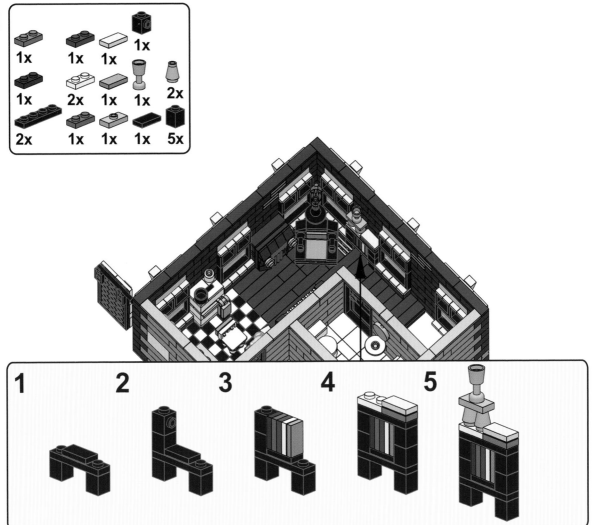

Roof

1

4x   4x

2

6x

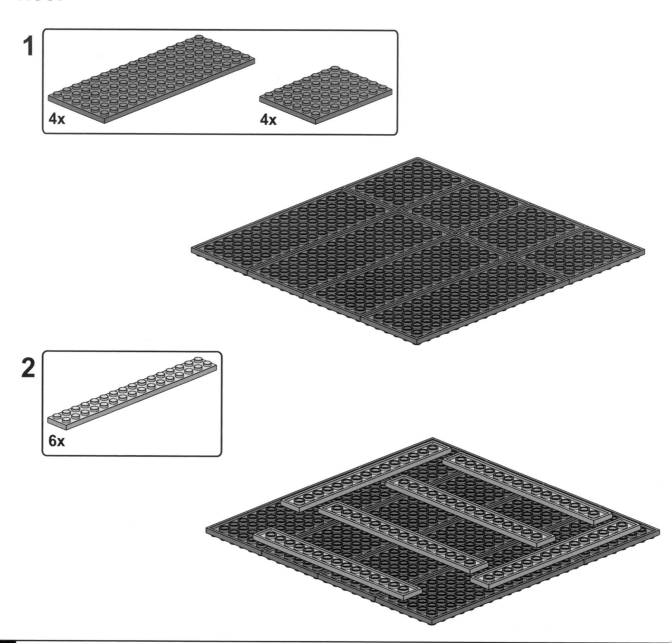

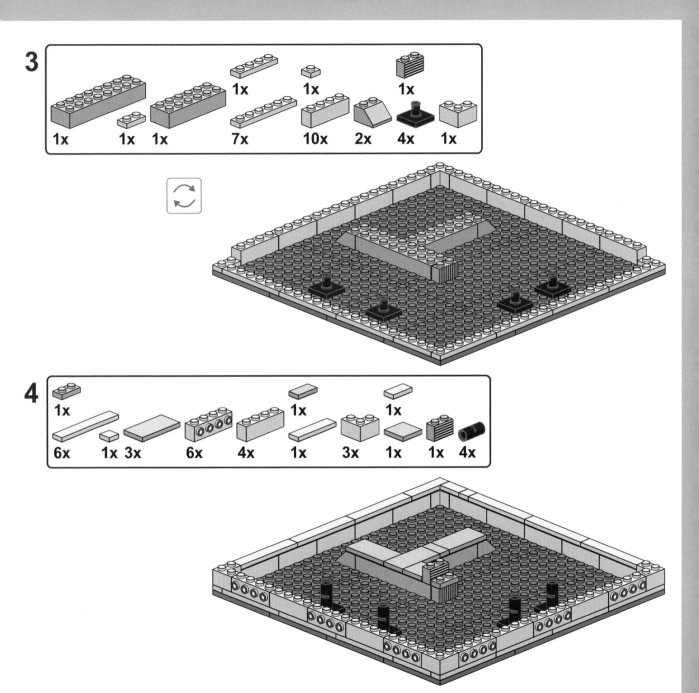

5

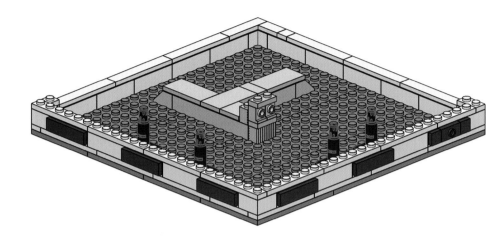

6

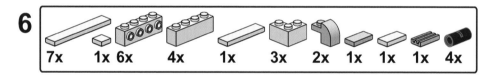

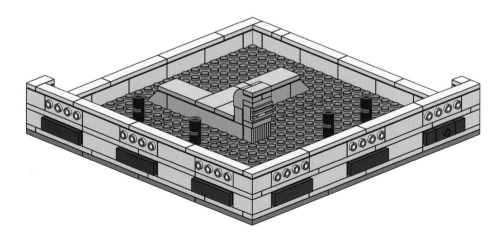

7

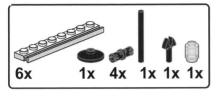

6x   1x   4x   1x   1x   1x

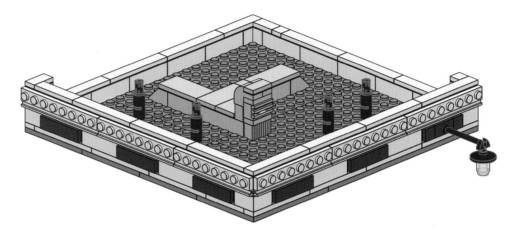

8

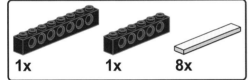

1x   1x   8x

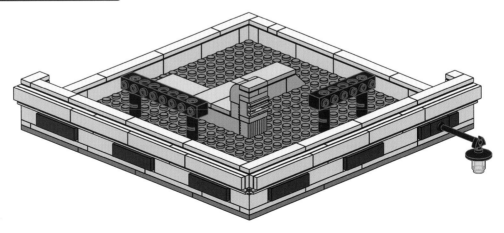

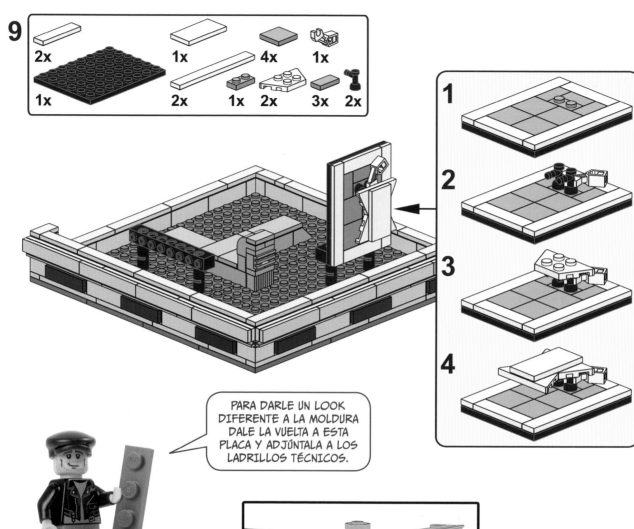

9

2x 1x 4x 1x
1x 2x 1x 2x 3x 2x

1
2
3
4

PARA DARLE UN LOOK
DIFERENTE A LA MOLDURA
DALE LA VUELTA A ESTA
PLACA Y ADJÚNTALA A LOS
LADRILLOS TÉCNICOS.

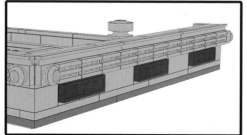

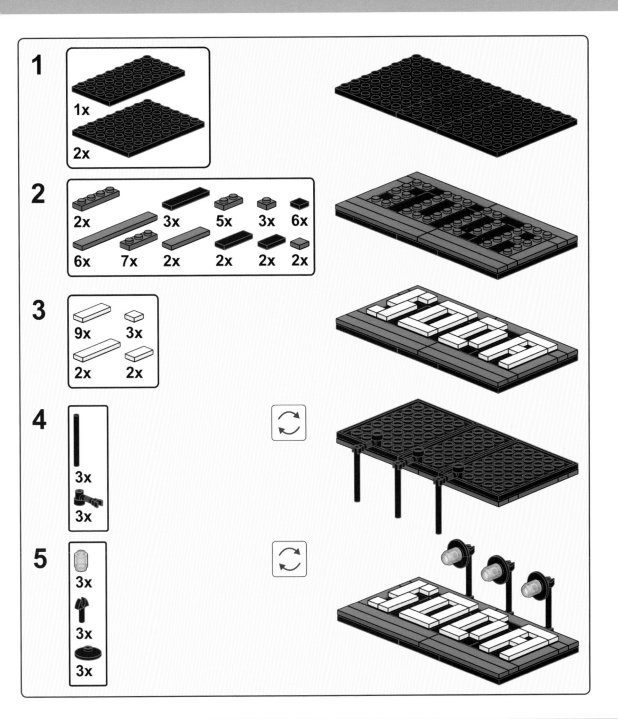

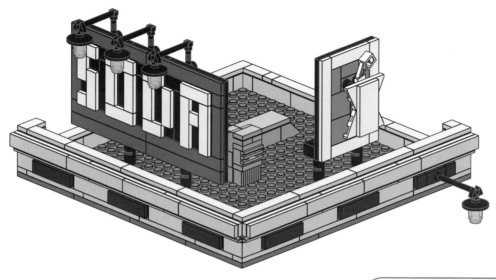

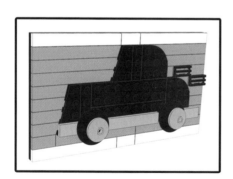

INTENTA CREAR UN CARTEL QUE COMBINE CON LA TEMÁTICA DE TU TIENDA. POR EJEMPLO ESTAS HERRAMIENTAS O LAS PARTES DE UN COCHE.

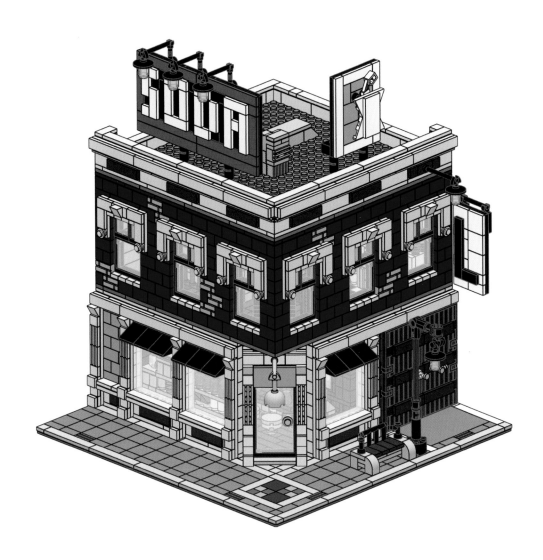

Casas

Estos tres diseños residenciales utilizan como punto de partida el mismo modelo de base que construirás primero. Los pivotes que se muestran en la fachada del edificio te permiten conectar varias fachadas.

Juntar los elementos de tu edificio por un lado y los elementos decorativos por otro te permitirá experimentar técnicas nuevas.

Con la base completada, puedes ver instrucciones para el Apartamento Parisino (página 169), una Casa Colonial (página 177). Ambas utilizan la estructura base completa con dos estilos diferentes. La Casa del Canal (página 184), construida al estilo de las casas de Amsterdam, utiliza los dos primeros niveles del edificio residencial pero tiene un tejado y un tercer piso completamente distinto.

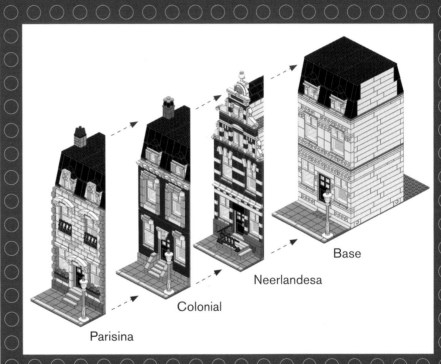

Parisina

Colonial

Neerlandesa

Base

En este capítulo encontrarás instrucciones para una base con tres instrucciones para diferentes fachadas.

Base

Para una lista de las partes puedes visitar *http://mostarch.com/
legoneighborthood/*.

Lista de piezas

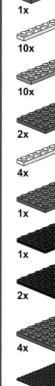
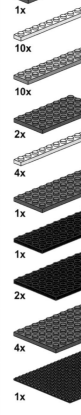
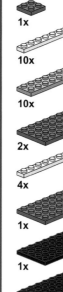
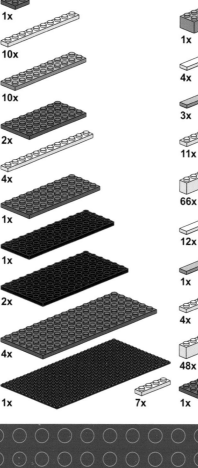

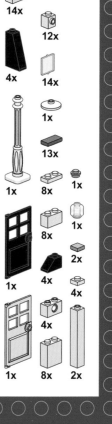
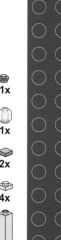

1x

10x

10x

2x

4x

1x

1x

2x

4x

1x

7x

1x

1x

2x

4x

3x

11x

66x

12x

1x

4x

48x

1x

27x

1x

14x

8x

2x

4x

2x

1x

2x

2x

26x

2x

2x

1x

2x

20x

15x

14x

12x

2x

1x

14x

4x

1x

13x

8x

1x

8x

4x

4x

8x

26x

12x

14x

1x

1x

1x

2x

4x

2x

8x

Primer piso

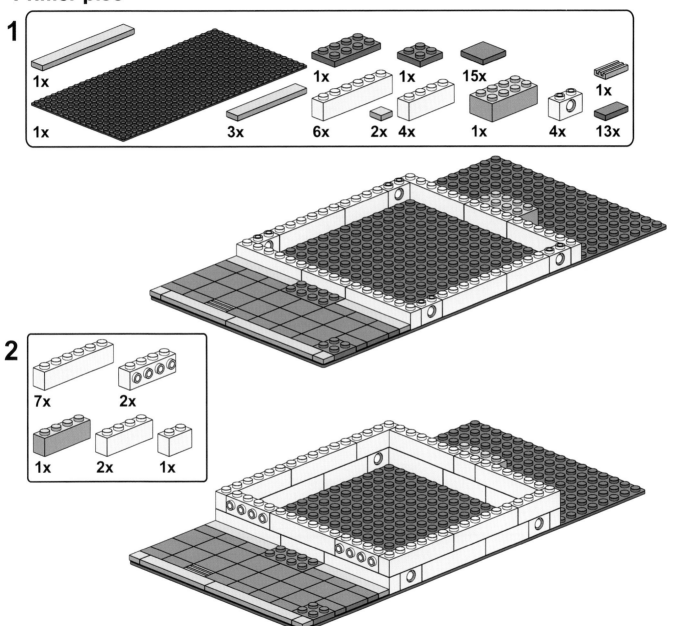

1

1x
1x
3x
1x 6x
1x
2x 4x
15x
1x
4x
1x
13x

2

7x
2x
1x
2x
1x

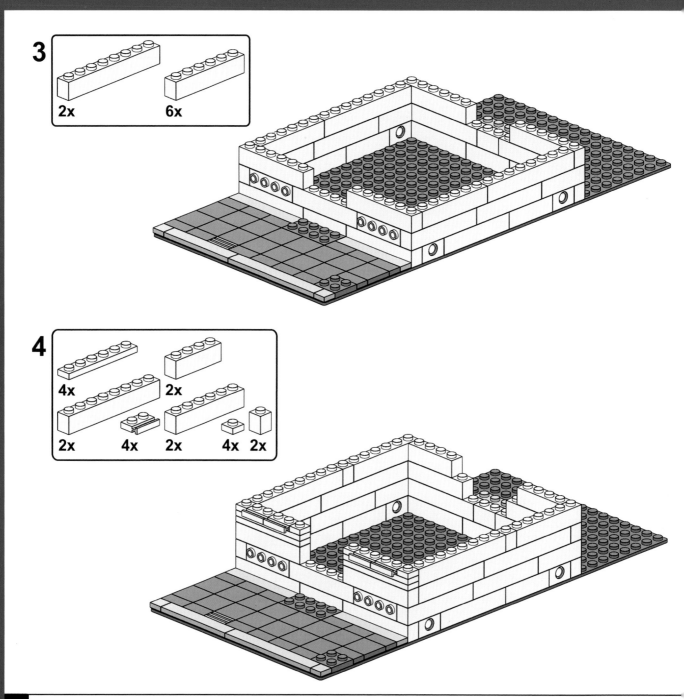

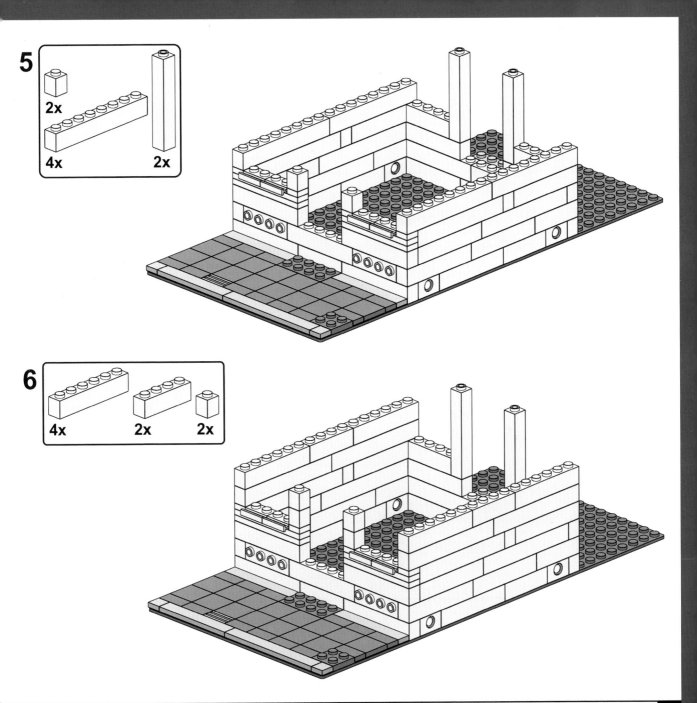

5

2x

4x 2x

6

4x 2x 2x

7

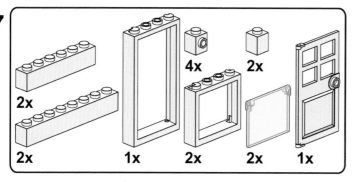

2x
2x
4x
2x
1x
2x
2x
1x

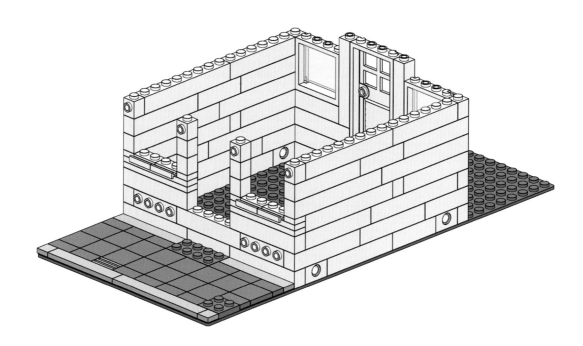

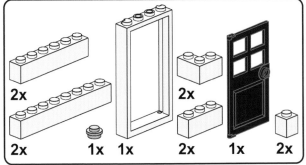

8

2x
2x
1x
1x
2x
1x
2x

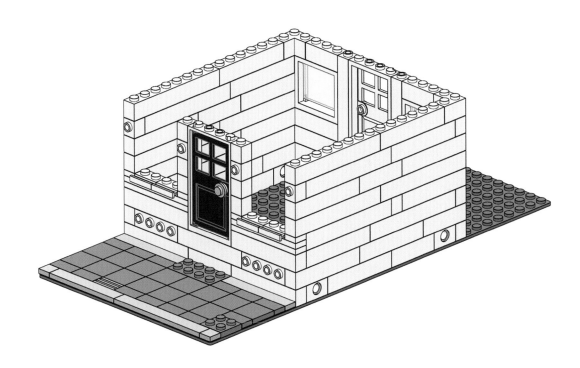

9

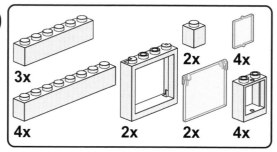

3x
4x
2x
2x
2x
4x
4x

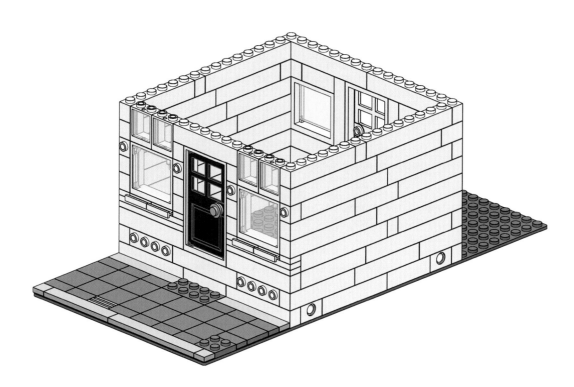

10

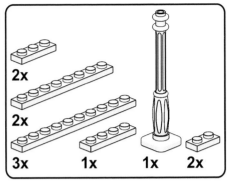

2x
2x
3x 1x 1x 2x

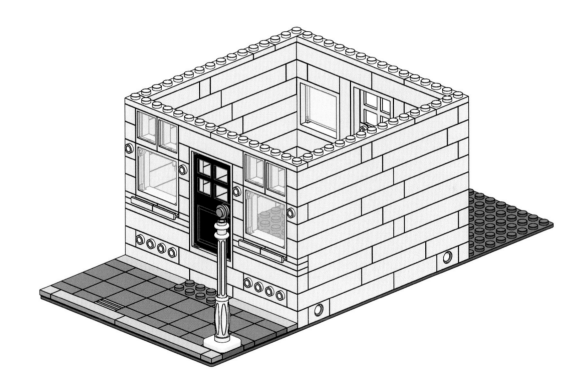

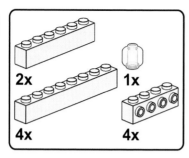

2x
1x
4x
4x

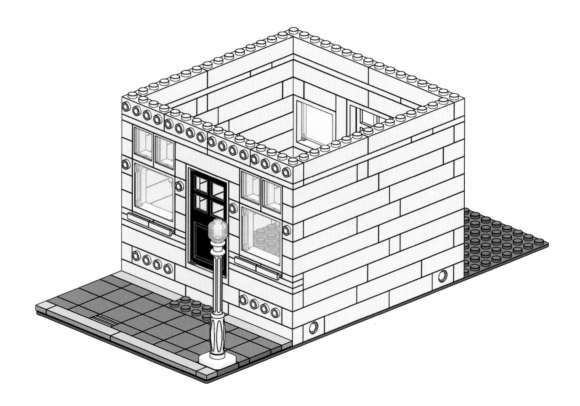

12

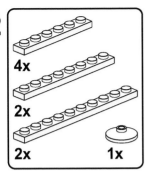

4x

2x

2x **1x**

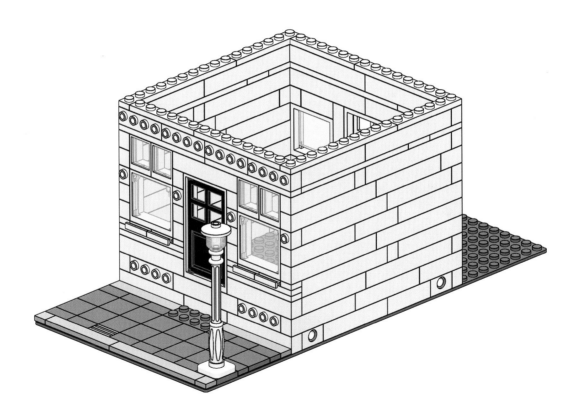

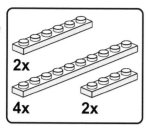

13

2x
4x
2x

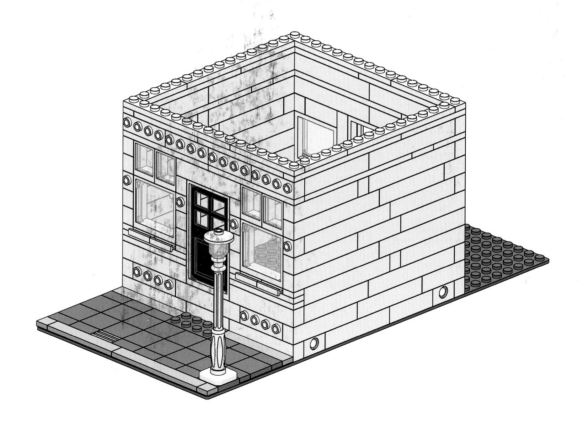

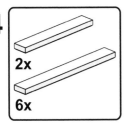

14

2x

6x

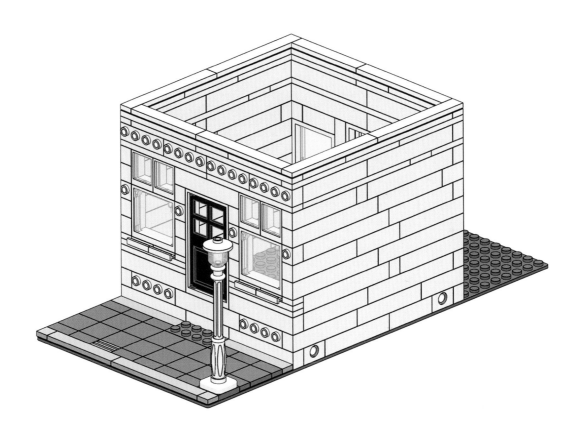

Segundo piso

1

2x

2x

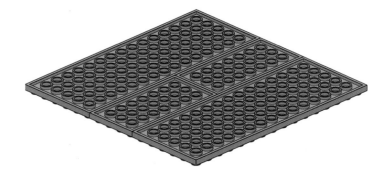

2

5x

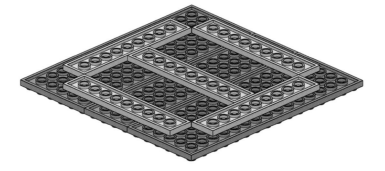

3

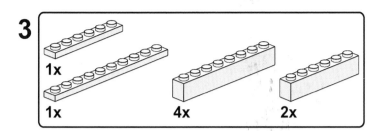

1x
1x
4x
2x

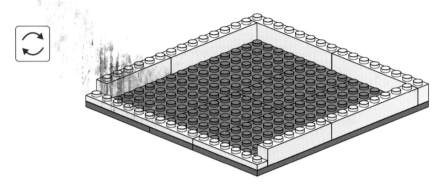

4

3x
3x
4x
2x

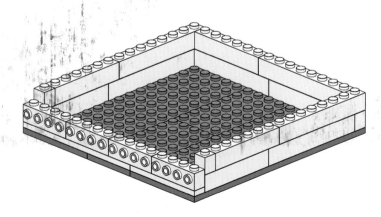

5

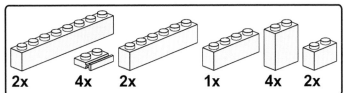

2x 4x 2x 1x 4x 2x

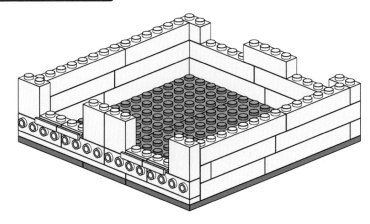

6

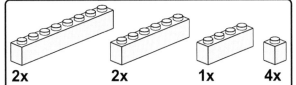

2x 2x 1x 4x

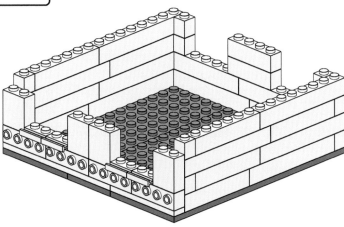

7

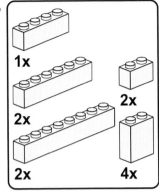

1x
2x
2x
2x
4x

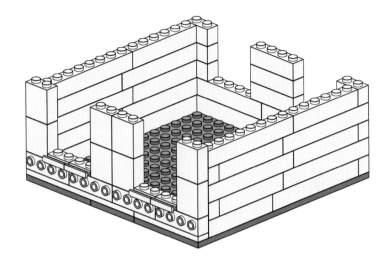

8

2x
4x
2x
1x

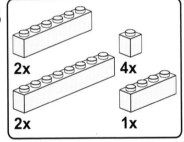

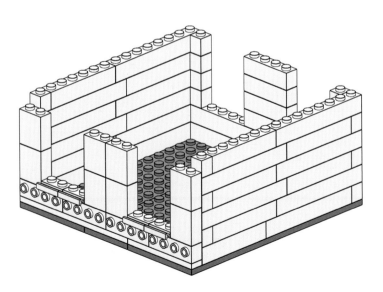

9

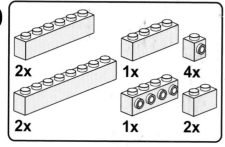

2x
2x
1x
1x
4x
2x

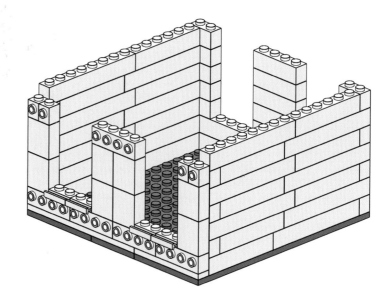

10

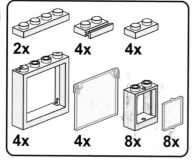

2x
4x
4x
4x
4x
8x
8x

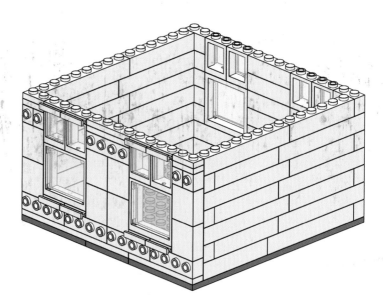

11

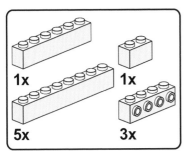

1x

1x

5x

3x

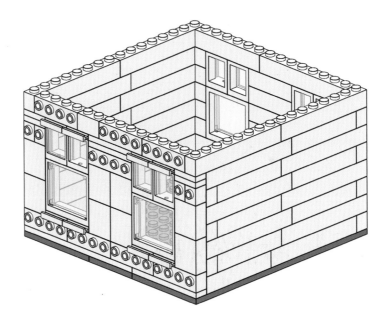

12

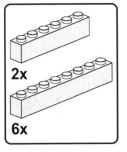

2x

6x

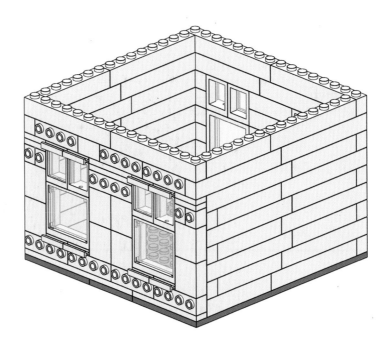

13

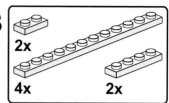

2x
4x
2x

14

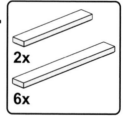

2x
6x

SI ESTÁS CONSTRUYENDO LA
CASA NEERLANDESA, PUEDES IR
DIRECTAMENTE A LA PÁGINA 182.
¡TIENE UN TEJADO PERSONALIZADO!

Tejado

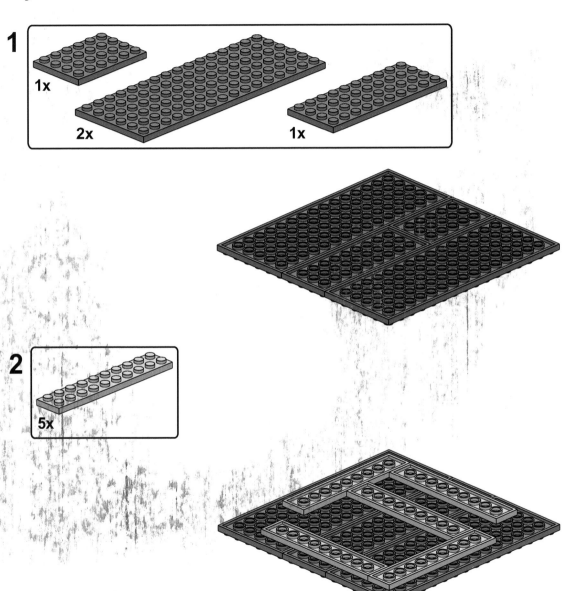

1

1x

2x

1x

2

5x

3

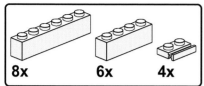

8x 6x 4x

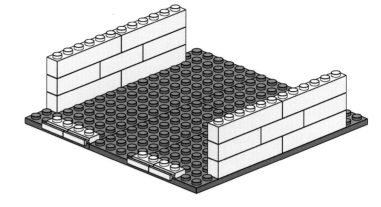

4

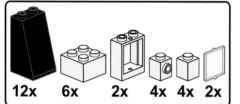

12x 6x 2x 4x 4x 2x

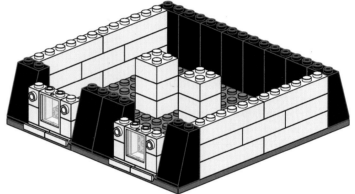

5

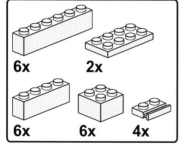

6x 2x
6x 6x 4x

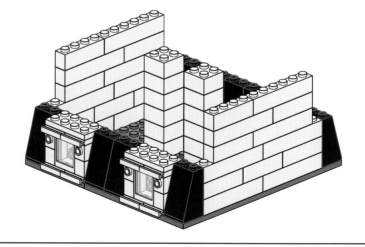

6

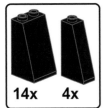

14x   4x

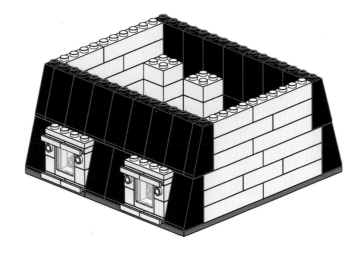

7

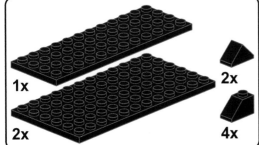

1x

2x

2x

4x

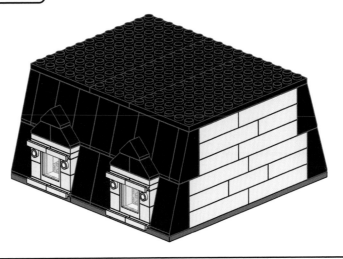

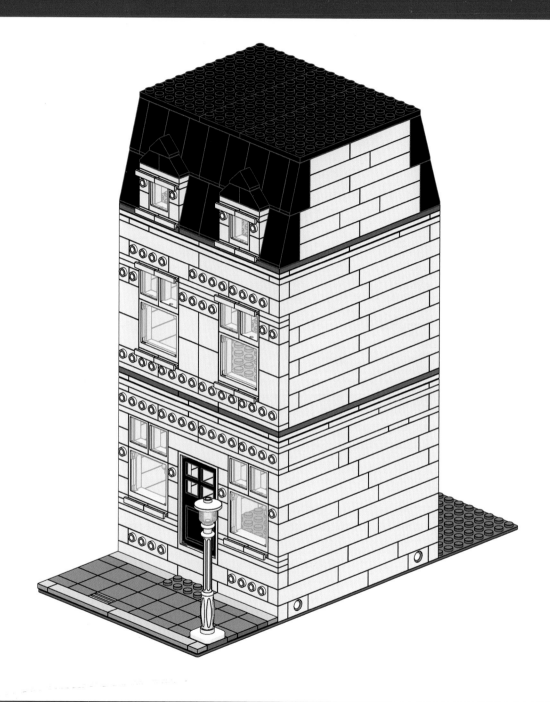

Un apartamento parisino

Lista de piezas

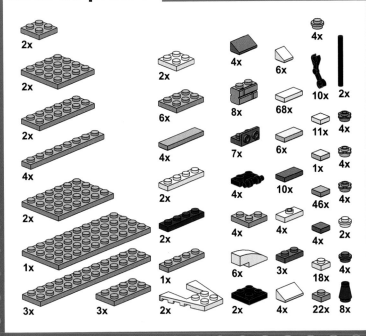

2x
2x
2x
4x
2x
1x
3x

2x
6x
4x
2x

3x

2x
8x
7x
4x

2x
1x
2x

4x
6x
68x
6x
10x

4x
4x

6x
3x
2x

4x

4x

18x
22x

4x
10x
2x

11x
1x
46x
4x
8x

4x
4x
4x
2x
4x

1
1x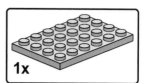

2
3x 1x
1x 1x 2x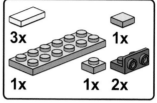

3
2x 2x
1x 5x 1x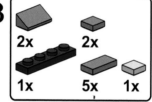

4
2x 2x
2x 2x 2x

1
1x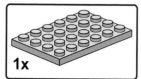

2
3x 1x
1x 1x 2x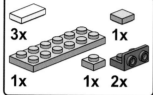

3
2x 2x
1x 5x 1x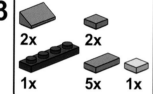

4
2x 2x
2x 2x 2x

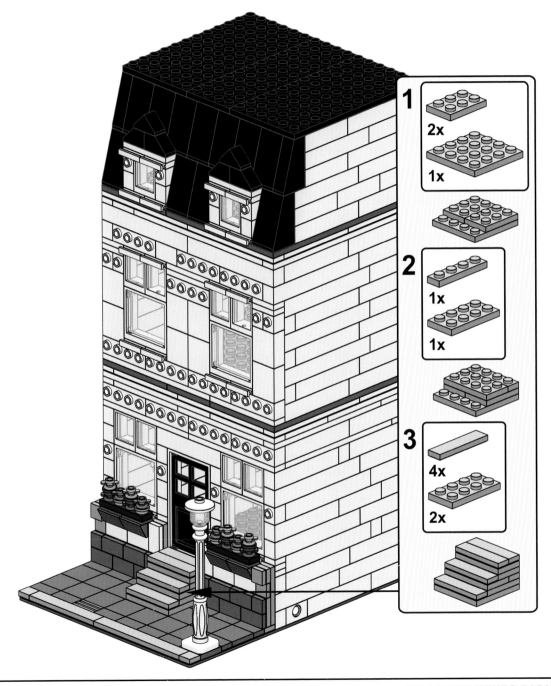

1

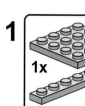 1x 2x 4x 2x

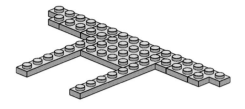

2

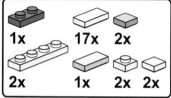 1x 17x 2x 2x 1x 2x 2x

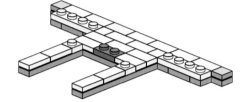

3

2x 4x

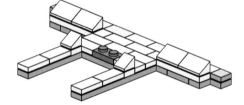

4

 1x 2x 4x

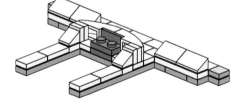

5

 1x

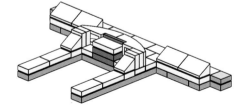

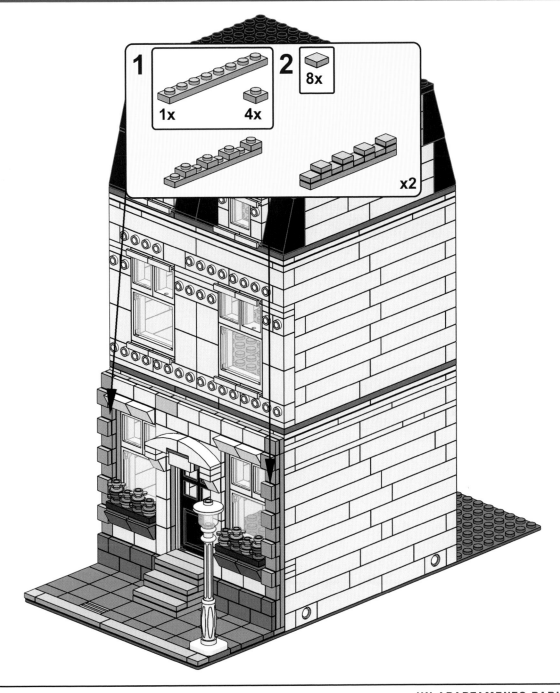

1

2x   4x   1x

2

2x 2x 34x 12x 12x 4x 1x 7x

3

2x 12x 4x

4

4x 8x

5

2x

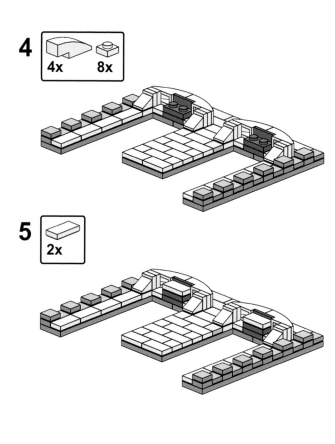

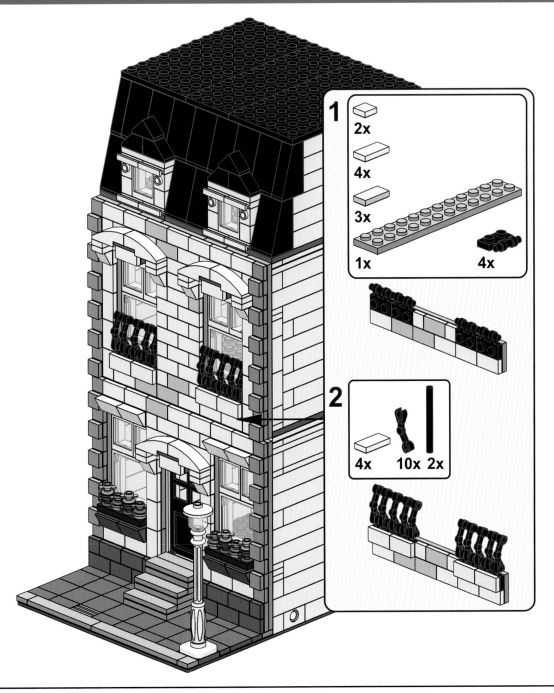

1
2x
4x
3x
1x
4x

2
4x 10x 2x

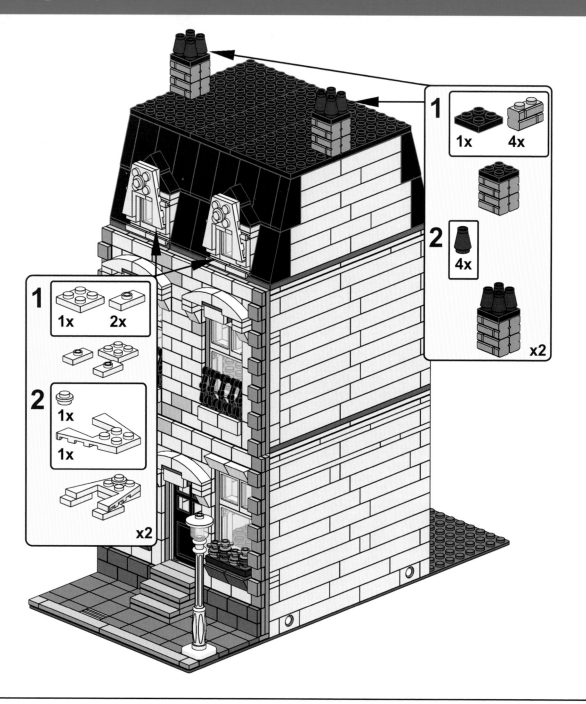

Casa colonial adosada

Lista de piezas

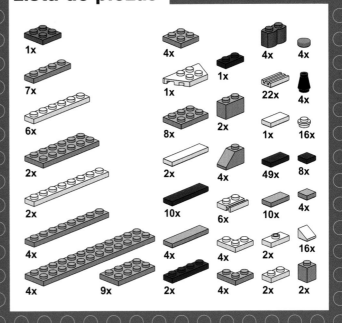

1x
7x
6x
2x
2x
4x
4x
9x
4x
2x
8x
2x
10x
4x
2x
1x
1x
4x
4x
2x
4x
2x
6x
4x
4x
22x
1x
49x
10x
4x
2x
4x
4x
16x
8x
4x
16x
2x

1

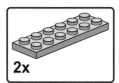
2x

2

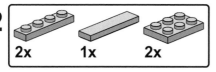
2x   1x   2x

3

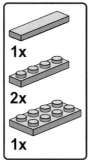
1x

2x

1x

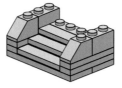

4

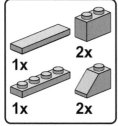
1x   2x

1x   2x

5

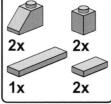
2x   2x

1x   2x

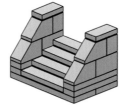

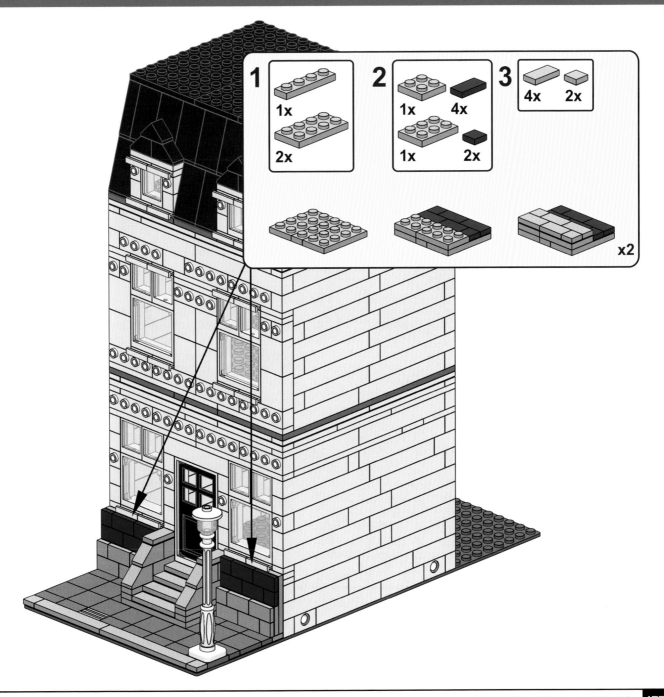

1

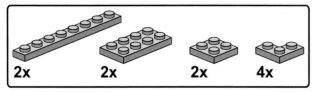

2x 2x 2x 4x

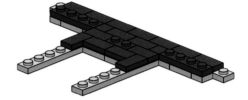

2

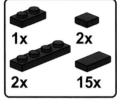

1x 2x
2x 15x

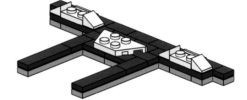

3

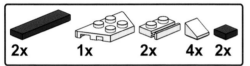

2x 1x 2x 4x 2x

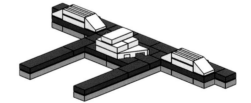

4

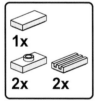

1x
2x 2x

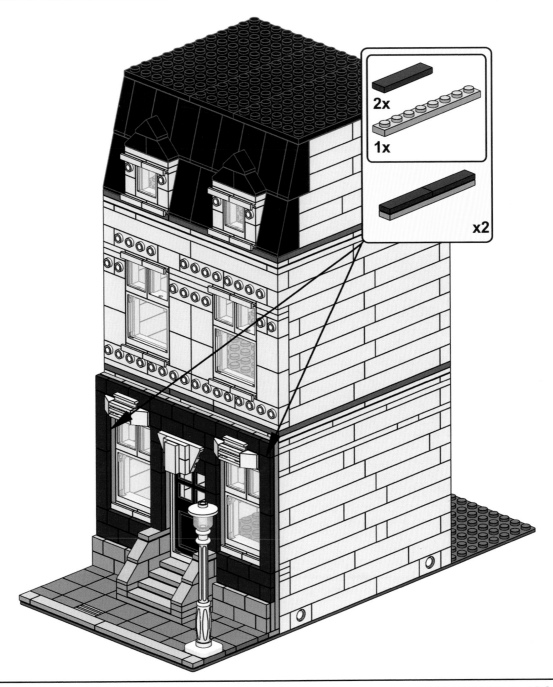

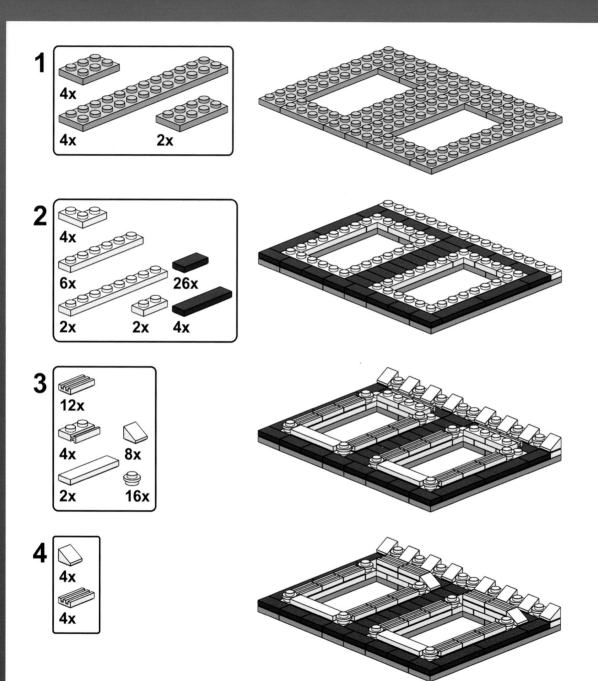

1
4x
4x
2x

2
4x
6x
2x
2x
26x
4x

3
12x
4x
8x
2x
16x

4
4x
4x

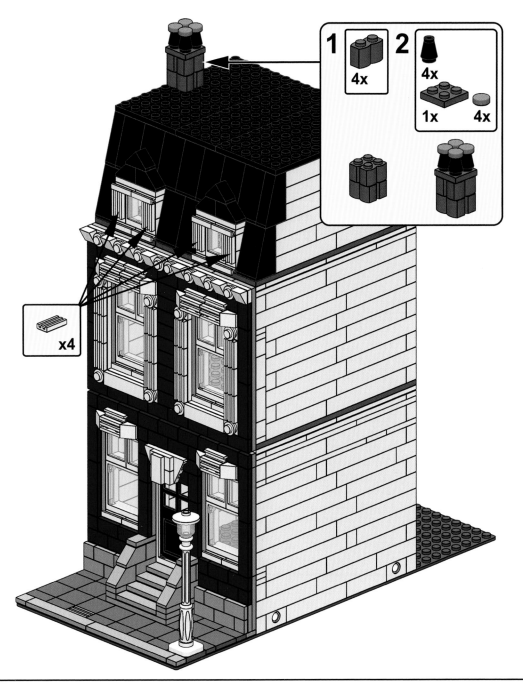

1

4x

2

4x

1x   4x

x4

Casa Neerlandesa

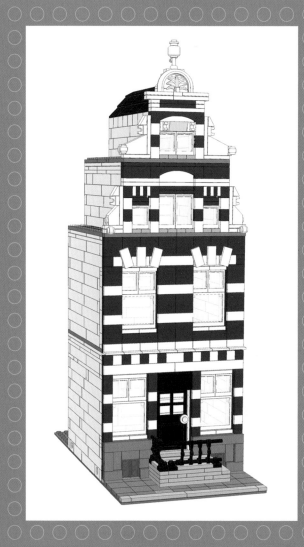

Lista de piezas

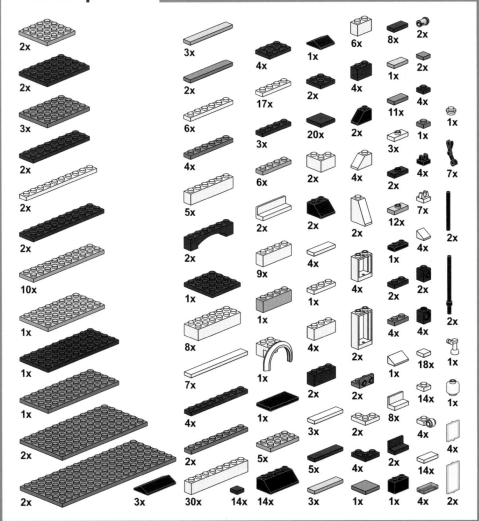

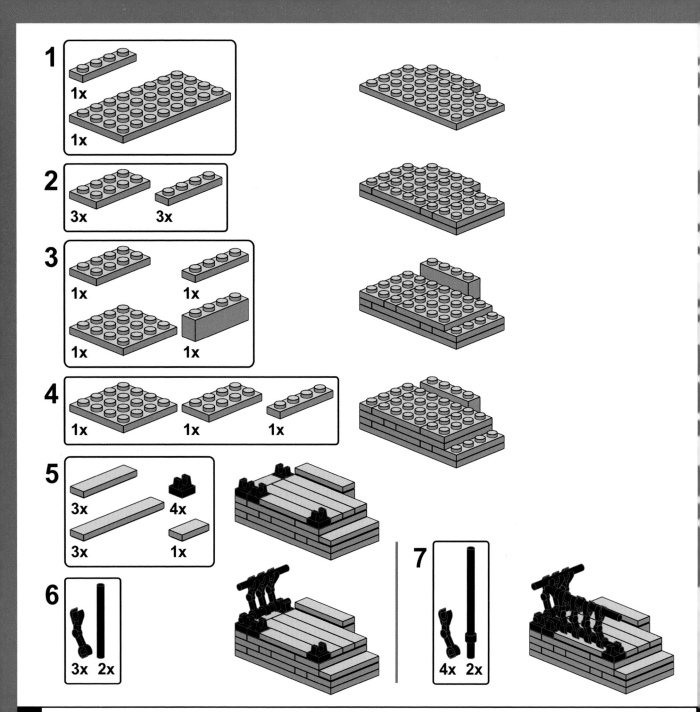

1
1x
1x

2
3x   3x

3
1x   1x
1x   1x

4
1x   1x   1x

5
3x   4x
3x   1x

6
3x   2x

7
4x   2x

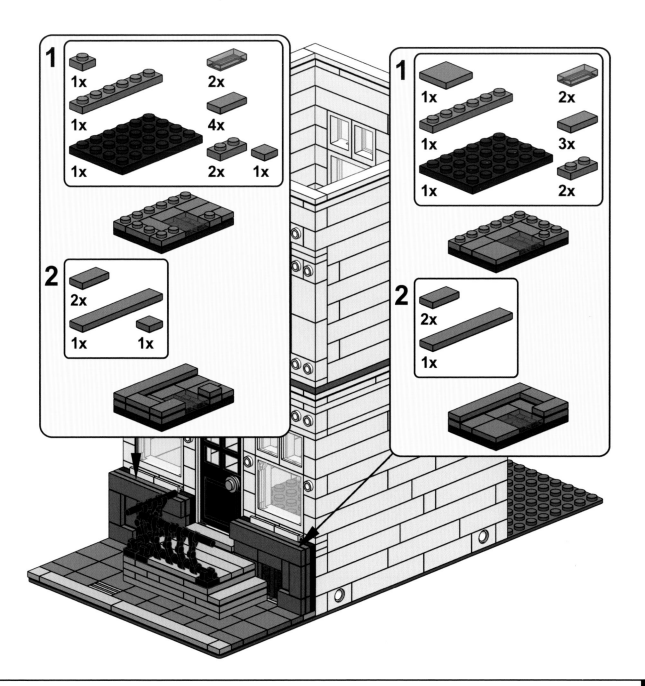

1

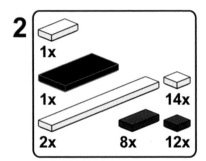

1x
4x
2x
4x

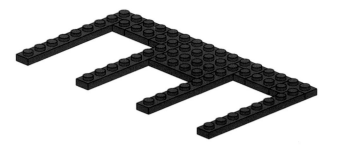

2

1x
1x
14x
2x
8x
12x

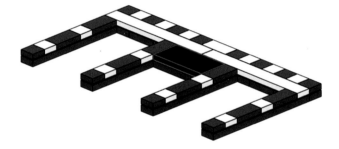

1

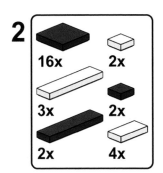

2x

2x

1x

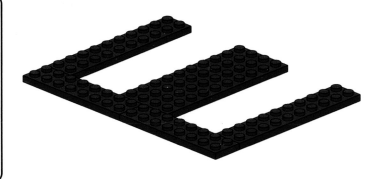

2

16x   2x

3x   2x

2x   4x

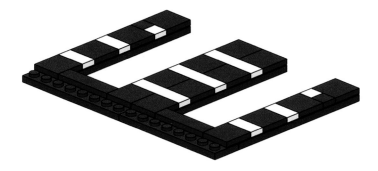

3

8x

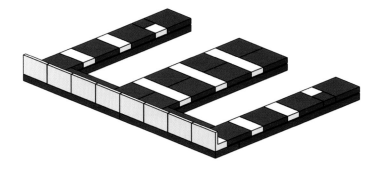

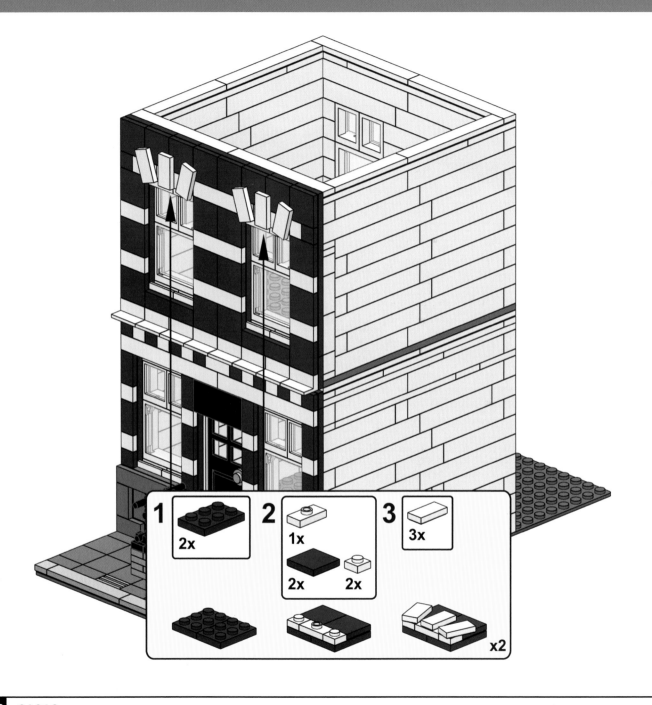

1 2x

2 1x
2x 2x

3 3x

x2

Tercer piso

1

1x
2x
5x
1x

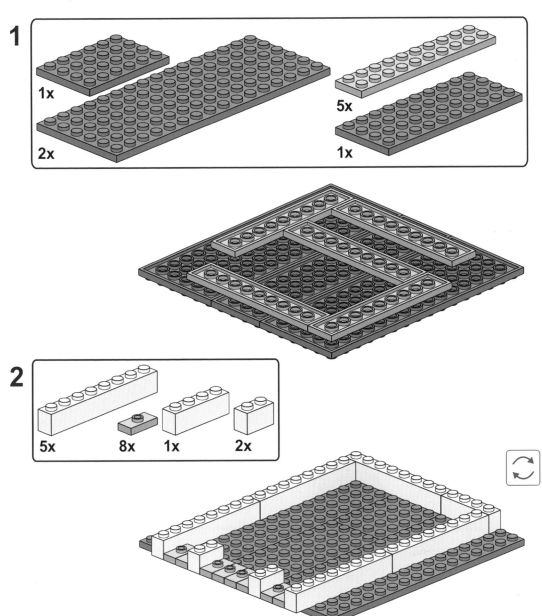

2

5x
8x
1x
2x

3

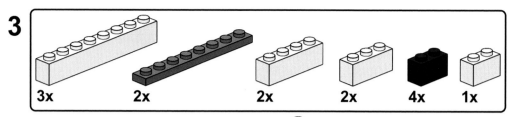

3x 2x 2x 2x 4x 1x

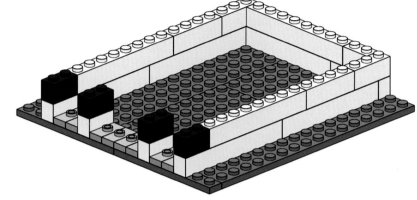

4

5x 2x 1x 2x 2x 2x 2x

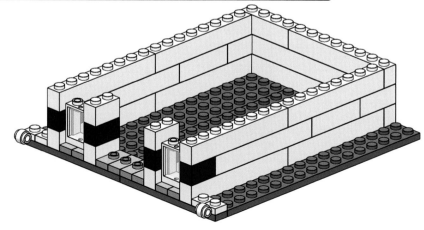

5

4x   2x   1x   1x   2x   2x

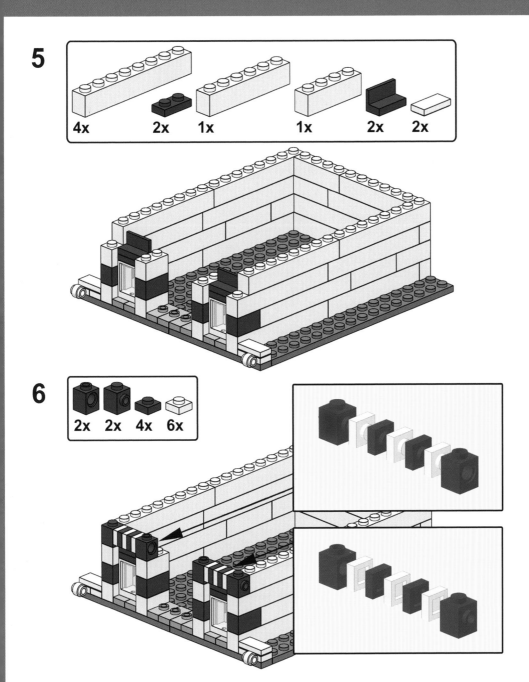

6

2x   2x   4x   6x

7

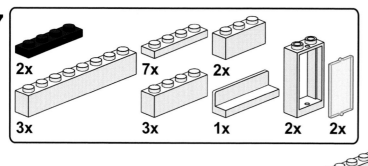

2x 7x 2x
3x 3x 1x 2x 2x

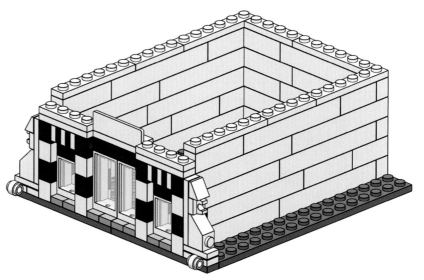

8

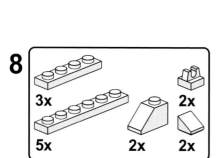

3x
5x 2x 2x

9

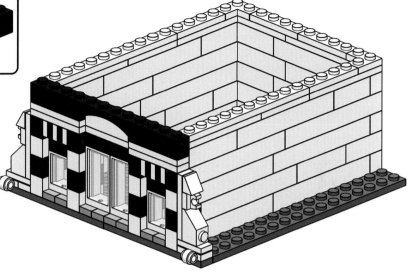

1x
2x
2x
4x
2x

10

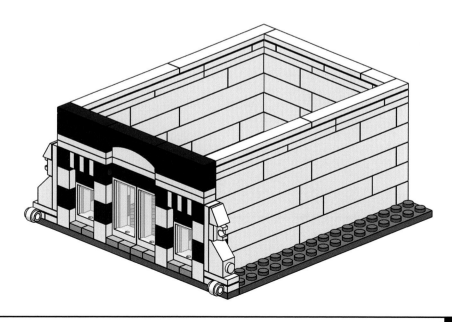

3x
5x
1x

Tejado

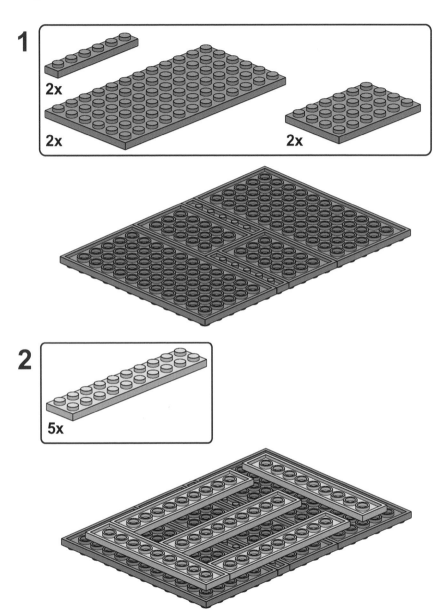

1
2x
2x
2x

2
5x

3

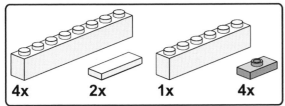

4x   2x   1x   4x

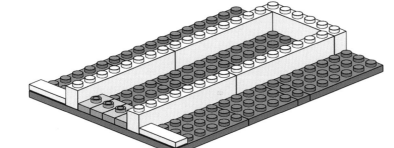

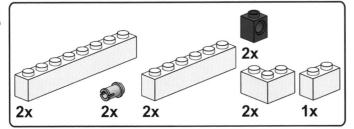

4

2x

2x   2x   2x   2x   1x

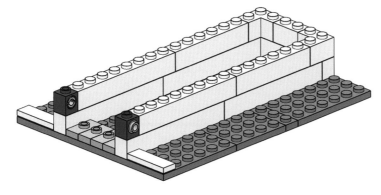

5

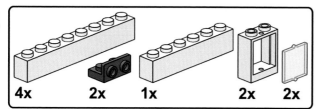

4x 2x 1x 2x 2x

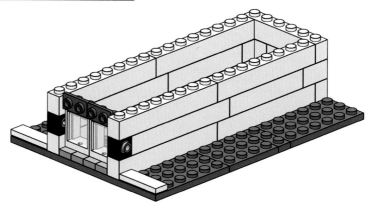

6

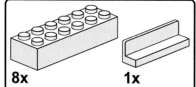

8x 1x

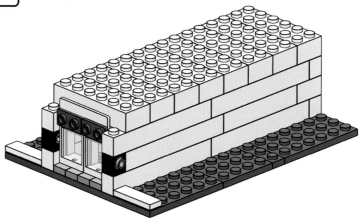

7

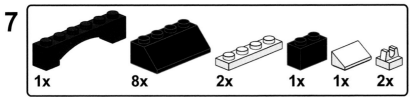

1x 8x 2x 1x 1x 2x

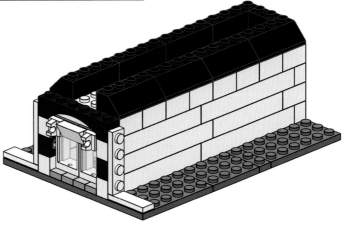

8

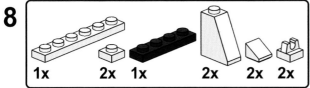

1x 2x 1x 2x 2x 2x

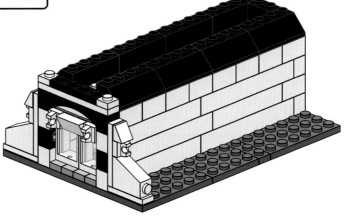

9

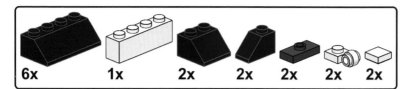

6x   1x   2x   2x   2x   2x   2x

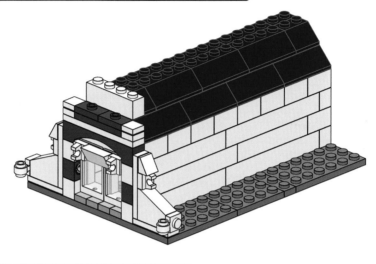

10

3x   1x   1x   1x   1x

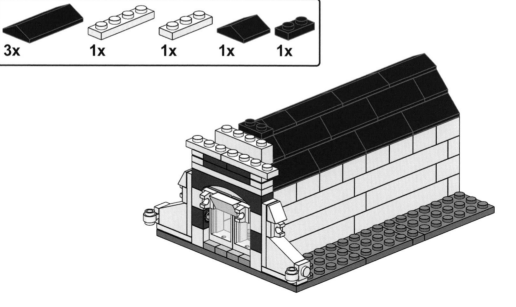

11

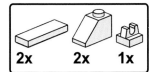

2x 2x 1x

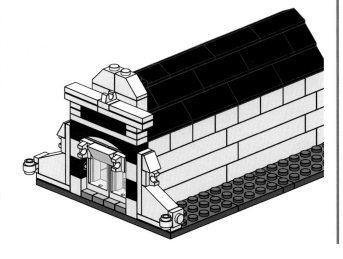

12

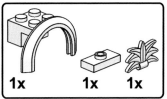

1x 1x 1x

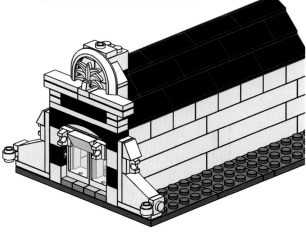

13

1x 1x 1x

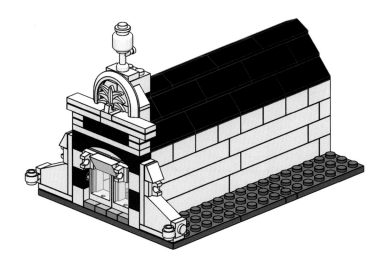